TRWY'R
TONNAU

Hoffwn ddiolch i Nic ac Efan am eu cefnogaeth
a'u cariad di-ddiwedd ac i Lydia Thomas, Porthaethwy
am yr ysbrydoliaeth.

Hoffai'r Lolfa ddiolch i:

Mair Williams, Ysgol Gynradd Gymraeg Llantrisiant;
Osian Maelgwyn Jones, Ysgol Gynradd Gymraeg Plascoch;
Hefin Jones, Ysgol Gynradd Talybont, Ceredigion

Golygyddion Cyfres yr Onnen:
Alun Jones a Meinir Edwards

TRWY'R TONNAU

Manon Steffan Ros

*I'm chwaer, Lleuwen, am Teno Toti, Alffi
ac am chwara 'bath!*

Argraffiad cyntaf: 2009
⊕ Hawlfraint Manon Steffan Ros a'r Lolfa Cyf., 2009

Comisynwyd y gyfrol hon gyda chymorth ariannol Adran Plant,
Addysg, Dysgu Gydol Oes a Sgiliau

Cynllun y clawr: Sion Ilar

Rhif Llyfr Rhyngwladol: 9781847710758

Cyhoeddwyd ac argraffwyd yng Nghymru
gan Y Lolfa Cyf., Talybont, Ceredigion SY24 5HE
gwefan www.ylolfa.com
e-bost ylolfa@ylolfa.com
ffôn 01970 832 304
ffacs 832 782

PENNOD 1

Roedd yr haul yn grasboeth yn Nhywyn, a phlant yr Ysgol Uwchradd yn chwyslyd ac yn anesmwyth. Roedd dosbarth 7B yn flinedig, a doedd gan Mrs Evans ddim gobaith i ddysgu dim iddyn nhw'r diwrnod hwnnw. Ymestynnodd dros ei desg i agor y ffenest yn lletach, cyn ochneidio wrth glywed y disgyblion yn parablu ymysg ei gilydd.

'Mi wn i mai dyma wers ola'r tymor,' meddai'n amyneddgar. 'Ond wir, oes angen i chi siarad yn ddi-baid? Rydach chi'n codi cur pen arna i!'

Tawodd y parablu am ychydig eiliadau, ond ymhen dim, dechreuodd y sibrwd unwaith eto. Ochneidiodd Mrs Evans cyn rhwbio'i thalcen. Roedd chwys wedi glynu ychydig o'i gwallt coch at ei chroen, ac roedd hi'n ysu am ddiod oer. Nid y disgyblion oedd yr unig rai a deimlai'n barod am wyliau'r haf, meddyliodd.

'Rhowch eich beiros i lawr,' meddai, gan eistedd yn ôl yn ei chadair. 'Gan eich bod chi'n amlwg yn rhy anniddig i weithio, mi gewch chi gadw'ch llyfrau yn eich bagiau, a gorffen y gwaith erbyn y tymor nesaf.' Aeth murmur hapus drwy'r dosbarth. 'Be am gael sgwrs fach i lenwi'r pum munud ola? Beth am... Caleb? Wyt ti'n cael mynd ar dy wylia'?'

'Ydw! I Ffrainc mewn carafán,' atebodd bachgen bach penfelen yn y rhes flaen. 'A 'dan ni'n mynd â chanŵ efo ni!'

'Hyfryd,' atebodd Mrs Evans. 'Owain? Wyt ti'n mynd i rywle?'

"Dan ni'n mynd i Sir Aberteifi i weld Mam-gu a Tad-cu.'

'Braf iawn, wir. Beth amdanat ti, Cled?'

Trodd ambell un i edrych ar y bachgen eiddil oedd yn eistedd yng nghanol y dosbarth. Roedd gwallt cyrliog melyngoch Cledwyn yn drwchus fel sbwng, ac yn sticio i fyny i bob cyfeiriad. Gwridai ei glustiau mawr wrth iddo deimlo pobl yn syllu arno.

'Ym... Falla cawn ni wylia munud ola, fel blwyddyn dwytha.'

Gwenodd Mrs Evans arno. Roedd hi'n hoff iawn o'r bachgen bach swil yma o Aberdyfi. Roedd o wedi dod i'r ysgol flwyddyn yn ôl, yn unig a nerfus yr olwg, a heb ffrind yn y byd. Erbyn hyn, roedd o'n gadael am wyliau'r haf â gwên ar ei wyneb, ac ambell gyfaill hefyd.

'A thithau, Efan?' holodd Mrs Evans. Chafodd Efan mo'r cyfle i ateb: Canodd y gloch yn y coridor ac aeth gwaedd o lawenydd drwy'r stafell – roedd hi'n wyliau haf.

'Mwynhewch eich gwyliau!' gwaeddodd Mrs Evans dros sŵn y cadeiriau'n cael eu llusgo dros y llawr, a pharablu cyffrous y plant. Rhuthrodd y rhan fwyaf allan drwy'r drws, ambell un yn ffarwelio'n gyflym â'i hathrawes. Dim ond dau arhosodd yn ôl, sef Cledwyn, a bachgen bach crwn o Abergynolwyn, o'r enw Moi.

'Mae Mam wedi deud. Felly, os gwnaiff dy nain di ffonio Mam, mi gawn ni drefnu. Mi wneith Mam ddod i dy nôl di yn y car. Mi fydd o'n grêt!'

'Iawn,' gwenodd Cledwyn. 'Mi ofynna i i Nain

heno. Ond bydd dim ots ganddi hi, gei di weld.'

'Trefnu mynd i Abergynolwyn wyt ti, Cled?' gofynnodd Mrs Evans gan hel ei phapurau ynghyd wrth i'r bechgyn basio'i desg.

'Mae o wedi bod o'r blaen!' atebodd Moi gan wenu cyn i Cledwyn gael cyfle i ddweud gair. 'Ond mae o am aros dros nos tro 'ma! Gawn ni aros i fyny drwy'r nos...'

'Hwyl i chi, hogia.'

'Mwynhewch eich gwyliau, Miss,' gwenodd Cledwyn ar ei athrawes.

'A chditha, Cled.'

'O, peidiwch â phoeni,' gwenodd Cledwyn. 'Mi wna i.'

Rhuodd y bws ysgol i ffwrdd, gan adael cwmwl llwyd o fwg ar ei ôl. Ochneidiodd Cledwyn yn foddhaus. Chwe wythnos gyfa heb ysgol. Ac nid yn unig hynny, roedd ganddo gynlluniau pendant i fynd i aros yn nhŷ Moi yn Abergynolwyn, ac roedd ambell un arall o'i ddosbarth wedi awgrymu cyfarfod ar draeth Tywyn yn ystod y gwyliau hefyd. Doedd dim teimlad yn y byd yn well gan Cledwyn na phrynhawn cyntaf ei wyliau ysgol, gan deimlo'r haf yn ymestyn o'i flaen yn boeth a diog.

'O! Mae hyn yn grêt!' ochneidiodd Siân, gan dynnu ei sbectol dywyll oddi ar ei phen a'u gosod ar ei thrwyn. Edrychodd ar ei brawd. 'Meddylia, Cled... chwe wythnos o haul a hufen iâ.'

'A hogia!' chwarddodd Beryl, ffrind gorau Siân, a

rhoi hwb fach i Siân â'i phenelin. Cododd Siân un o'i haeliau ar Beryl yn amheus.

'I chdi, falla.'

Ysgydwodd Beryl ei phen, gan grychu ei llygaid glas dan belydrau'r haul. 'Heb gyfarfod â'r hogyn iawn wyt ti. Pan welais i Huw am y tro cynta...' Dechreuodd Beryl droi ei gwallt rhwng ei bysedd yn freuddwydiol.

'O, haleliwia!' ebychodd Siân. 'Dim eto, plîs! Wela i di wedyn, Ber?'

'Mae Huw yn dod draw,' atebodd Beryl â gwên wirion ar ei hwyneb. 'Be am bore fory?'

'Iawn. Hwyl!'

'Huw?' holodd Cledwyn, wrth iddo ef a Siân ddechrau cerdded am adref. Ochneidiodd Siân.

'Hogyn o flwyddyn un ar ddeg. Maen nhw 'di bod yn dal dwylo bob amser cinio am bythefnos. Mae o'n ddigon i 'ngwneud i'n sâl, wir.' Cydgerddodd y ddau heibio'r siopau tuag adref. Roedd y strydoedd dan eu sang gan ymwelwyr haf, a phlethai Siân a Cledwyn drwy'r tyrfaoedd, yn gorfod cymryd gofal i beidio â bod dan draed neb.

'Be wyt ti'n neud amser cinio os ydi Beryl efo Huw?' gofynnodd Cledwyn. Byddai o'n treulio'i awr ginio'n sgwrsio gyda Moi wrth fwyta, cyn mynd i eistedd yn ymyl y cae bob tywydd gyda chriw o hogiau ei ddosbarth. Prin byddai o'n gweld Siân yn yr ysgol o gwbl.

'Sefyll yno fel gwsberan tra bo ffrindia twp Huw yn neud ll'gada bach arna i. Wir yr, Cled, mae na rywbeth ofnadwy'n digwydd i hogia pan maen nhw'n cyrraedd pedair ar ddeg.' Llygadodd Siân ei brawd trwy ei sbectol haul. 'Dwy flynedd ac mi fyddi di'n annioddefol.'

Gwenodd Cledwyn. Roedd hi'n deimlad braf, cerdded adref fel hyn gan wybod bod ganddo chwe wythnos gyfan o ryddid. Ac yn fwy na hynny, gwyddai Cledwyn na fyddai ganddo ormod o ots pan ddeuai mis Medi – roedd Moi, a'r hogiau eraill yn y dosbarth, yn gwneud Ysgol Tywyn yn lle cartrefol iawn i Cledwyn. Bu ei flynyddoedd yn yr ysgol gynradd yn rhai unig, heb fawr o ffrindiau. Roedd o wedi dioddef cael ei fwlio gan griw o enethod. Ond ar ddiwedd gwyliau'r haf y llynedd, roedd Cledwyn wedi troi arnyn nhw wedi i Caryl a'i chriw fod yn gas wrtho. A'r flwyddyn hon, er bod Caryl yn dal i wneud ambell sylw creulon, roedd hi'n rhy ansicr i ddweud rhyw lawer. Doedd hi byth yn siŵr beth fyddai Cledwyn yn ei ddweud wrthi, felly tawodd ei bwlio.

'Wel, Cled,' meddai Siân yn fyfyriol. 'Be wyt ti'n bwriadu ei wneud dros y gwylia?'

'Mi a' i draw i Abergynolwyn i weld Moi. A falle cyfarfod â rhai o'r hogia o 'nosbarth i ar y traeth yn Nhywyn. Ond, Siân, ro'n i wedi meddwl efallai...' Edrychodd Cledwyn i fyny at ei chwaer i weld a fyddai hi'n deall.

Nodiodd Siân. 'A finna hefyd. Ro'n i'n meddwl y bydden ni wedi clywed rhywbeth, o leia.'

'Neu falla y bydda Eiry neu Gili Dŵ wedi dod ar eu gwylia, fel roedden nhw wedi sôn. Meddylia, Siân... mae hi bron yn flwyddyn ers i ni fod yng Nghrug.'

Synfyfyriodd y ddau wrth gerdded adref, yn cofio'r amser yma'r llynedd. Roedd Siân a Cledwyn wedi byw gyda'u nain ers cyn cof, heb syniad yn y byd lle roedd eu rhieni, na hyd yn oed a oedden nhw'n fyw neu'n farw. Ond yn ystod gwyliau'r haf llynedd, deffrodd y ddau yng nghanol y nos i ganfod bod Nain wedi diflannu, a bod twnnel wedi ymddangos yn wal y gegin. Ar ôl dringo drwy'r twnnel, glaniodd y ddau yng Nghrug, byd arall oedd yn llawn bwystfilod ac ysbrydion a hud.

Ar ôl teithio'r wlad beryglus yng nghwmni eu ffrind newydd, Gili Dŵ, yn chwilio'n ddyfal am Nain, daeth Cledwyn a Siân o hyd i'w mam brydferth, Eiry, oedd yn iarlles yng Nghrug, ac yn berchen ar blasty mawr crand. Ond roedd Eiry wedi twyllo'i phlant i ddod i Grug, ac roedd hi'n bell o fod yn fam berffaith roedd Cledwyn a Siân wedi breuddwydio amdani. Ond ansicr oedd hi, nid drwg, ac roedd hi wedi addo i'w phlant y byddai'n trio dod dros ei hofn o'r byd mawr y tu allan i'w phlasty er mwyn ymweld â nhw.

Felly daeth Siân a Cledwyn yn ôl i Aberdyfi un mis ar ddeg yn ôl, gan edrych ymlaen at ymweliad Eiry a Gili Dŵ. Wrth i'r misoedd basio, roedd y ddau'n dal i drafod eu hanturiaethau yng Nghrug gyda'u nain neu gyda'i gilydd, ac wedi glynu wrth y gobaith o gael gweld eu mam neu Gili Dŵ cyn bo hir. Roedd Cledwyn yn siŵr y byddai rhyw wahoddiad wedi eu cyrraedd erbyn hyn, i dreulio ychydig o'u gwyliau yng Nghrug. Ond dyma nhw ar eu gwyliau, yn dal heb glywed bw na be gan unrhyw un yng Nghrug.

Cyrhaeddodd Siân a Cledwyn eu cartref ar brif stryd Aberdyfi – hen dŷ mawr â ffenestri tal – a cherdded i fyny'r grisiau bach oedd yn arwain at y tŷ. Roedd Nain wedi ailbeintio'r drws ychydig wythnosau cynt, ac roedd y paent du'n sgleinio dan yr haul. Dilynodd Cledwyn ei chwaer i mewn drwy'r drws.

Roedd yr arogl mwyaf hyfryd yn llenwi pob cornel o'r cartref mawr, a gwenodd Cledwyn wrth gofio am draddodiad ei nain. Ar ddechrau pob gwyliau ysgol, mi fyddai'n pobi bara a chacenni, er mwyn i arogl anhygoel fod yn disgwyl Cledwyn a Siân pan fydden nhw'n cyrraedd adref o'r ysgol.

Rhoddodd Cledwyn ei fag i lawr wrth y drws a sefyll am ychydig gan gymryd anadl ddofn. Yna aeth draw i'r gegin lle roedd Nain wrthi'n tynnu sgons crasboeth o'r popty. Gwenodd ei gwên lydan hyfryd wrth weld ei hŵyr a'i hwyres yn sefyll wrth y drws.

'Ma honna'n edrych yn anhygoel,' pwyntiodd Siân at gacen fawr yn gorlifo o hufen a jam.

'Steddwch! Mae'r bara dal yn gynnes ac mae gen i ryw fymryn o'r caws 'na dach chi'n ei licio.'

Eisteddodd Cledwyn a Siân ar y cadeiriau esmwyth o gwmpas y bwrdd, wrth i Nain ruthro o amgylch y gegin, ei gwallt gwyn yn chwyrlïo o'i chwmpas. Teimlodd Cledwyn ei gyhyrau'n gorffwys, a theimlo pelydrau'r haul drwy'r ffenestr yn arafu ei feddwl. Edrychodd draw at y dresel, lle roedd llun mawr o'i dad, Meilyr, yn eistedd yn yr iard gefn yn y tŷ yn Aberdyfi, a gwên fawr ar ei wyneb, gwên lydan, nid yn annhebyg i'r un oedd ar wyneb Nain rai eiliadau yng nghynt.

Diflannodd Meilyr pan oedd Cledwyn a Siân yn blant bach a'r tri'n gwersylla yn Abergynolwyn. Ers iddo weld llun o'i dad am y tro cyntaf y flwyddyn dwytha, roedd Cledwyn wedi treulio llawer o'i amser yn syllu ar ei luniau, ac yn meddwl amdano. Ble roedd o? Roedd gan Cledwyn deimladau cryfion bod ei dad yn dal yn fyw, er bod hynny'n edrych yn annhebygol. Roedd hi'n anodd deall sut y gallai rhywun deimlo mor agos at rywun nad oedd o'n ei gofio. Cyffyrddodd Cledwyn yn yr oriawr a grogai'n drwm ar ei arddwrn – hen oriawr ei dad. Teimlai'r metel yn oer ar ei gnawd, ac, am y canfed tro, edrychodd Cledwyn ar wyneb glas yr oriawr, gan feddwl mor debyg oedd ei liw i liw'r môr yn yr haf.

Ymhen dim, roedd platiad mawr o fara cynnes Nain, yn llawn hadau bach blasus, â menyn yn toddi arno, a chaws â darnau bach o fricyll ar ei ben, yn tynnu dŵr o ddannedd Cledwyn. Roedd o'n hynod o flasus, ac am ychydig funudau, bu tawelwch yn y gegin wrth i Siân, Cledwyn a Nain fwynhau eu gwledd syml.

'Sôn roedd Cled a finna y bysa hi 'di bod yn braf gweld Gili Dŵ neu Eiry yn ystod y gwyliau,' meddai Siân, gan glirio'r briwsion o gorneli ei gwefusau. Roeddan ni wedi disgwyl clywed rhywbeth ganddyn nhw erbyn hyn.'

Culhaodd llygaid Nain yn feddylgar wrth iddi gnoi'r olaf o'r bara. 'Ia, yn wir. Mae hi'n biti nad ydan ni wedi cael llythyr hyd yn oed.'

'Ydach chi'n meddwl bod 'na rywbeth wedi digwydd iddyn nhw?' gofynnodd Cledwyn, gan gofio'r holl fwystfilod peryglus oedd yng Nghrug.

Ond ysgwyd ei phen wnaeth Nain. 'Tydi o ddim yn amhosib, wrth gwrs, ond dwi'n meddwl 'i fod o'n annhebygol. Wedi'r cyfan, mae Eiry a Gili Dŵ wedi byw yng Nghrug erioed, ac maen nhw'n adnabod y peryglon. Na, dwi'n meddwl bod y ddau'n iawn. Maen nhw'n siŵr o gysylltu cyn bo hir.' Cliriodd Nain y platiau a mynd â nhw draw at y sinc.

'Dwi'n orlawn,' ochneidiodd Siân gan roi mwytha i'w bol. 'Dwi'n meddwl a' i am dro ar lan y môr. Dach chi am ddod?'

'Grêt!' atebodd Cledwyn, gan fwyta un darn bach arall o gaws.

'Nid fi, mae arna i ofn,' ysgydwodd Nain ei phen. 'Mae'n well i mi wneud chydig o chwynnu yn yr ardd gefn. Mae hi'n dechra edrych fel jyngl!'

'Gad i mi fynd i newid o 'ngwisg ysgol,' meddai Cledwyn wrth ei chwaer gan godi o'i gadair. 'Mi fydd tro bach ar lan y môr yn ddechra grêt i'r gwylia.'

Er bod Aberdyfi'n llawn ymwelwyr, roedd hi'n dawel ar lan y môr wrth i Cledwyn a Siân gerdded yn y tywod i gyfeiriad Tywyn. Roedd y ddau'n parablu'n hapus, am yr ysgol ac am eu ffrindiau, ond Crug oedd yn dwyn eu sylw yn bennaf. Buont yn trafod y tir mynyddig, a'r ysbrydion dychrynllyd, ac, wrth gwrs, Eiry a Gili Dŵ. Heb feddwl bron, cerddodd y ddau bron yr holl ffordd i Dywyn ar y traeth.

'Sbia!' Pwyntiodd Siân at dŷ bach gwyn ar un o'r bryniau rhwng Tywyn ac Aberdyfi. 'Roeddan ni'n arfer byw yn fan'no. Piti nad ydan ni'n gallu cofio, yntê.'

'Ia,' cytunodd Cledwyn. Tyddyn Llus oedd eu cartref pan oedden nhw'n blant bach. Roedd y tyddyn ymhell o unrhyw dŷ arall, ac roedd y ffordd oedd yn arwain ato'n hir a serth. Edrychai'n hyfryd rŵan, yng ngolau'r haul, ond credai Cledwyn y gallai fod yn lle digon unig pan fyddai'r gwynt yn rhuo a thonnau'r môr yn taranu.

'Falla y dylian ni fynd i fyny 'no,' synfyfyriodd Siân. 'I weld sut le ydi o.'

'Mae'n siŵr y cawn ni gyfle yn ystod y gwyliau rhywbryd,' atebodd Cledwyn.

Cerddodd y ddau mewn tawelwch am ychydig, cyn i Siân ddweud yn dawel, 'Cled? Wyt ti'n meddwl bod Nain yn iawn?'

'Be?' gofynnodd Cledwyn mewn braw. 'Wyt ti'n meddwl ei bod hi'n sâl?' Roedd Nain yn edrych yn berffaith iach iddo ef.

'Na, na, dim byd felly,' ysgydwodd Siân ei phen. 'Gweld hi'n synfyfyrio'n aml ydw i. Mae hi'n treulio llawer o'i hamser yn pori dros luniau o Dad. Ac mi dwi wedi ei chlywed hi'n galw ei enw yn ei chwsg.'

Roedd Cledwyn ar fin dweud nad oedd o wedi clywed y ffasiwn beth, cyn iddo sylweddoli ei fod o, droeon, wedi deffro o drwmgwsg, yn siŵr iddo glywed rhywun yn gweiddi, 'Meilyr!' Roedd o wedi meddwl mai breuddwyd oedd y cyfan, mai ei ddychymyg oedd yn chwarae triciau arno, ond na, breuddwydion Nain oedd wedi ei ddeffro. Teimlai braidd yn dwp na wnaeth sylweddoli hynny yng nghynt.

'Mae'n siŵr ei fod o'n eitha naturiol,' meddai

Cledwyn. 'Mi roedd o… mae o'n fab iddi, wedi'r cyfan.'

'Mmm,' atebodd Siân. 'Dim ond poeni ydw i ei bod hi'n treulio gormod o'i hamser yn hel meddyliau. Ond ti sy'n iawn, mae hi'n siŵr o fod yn hollol iawn, a finnau'n mynd o flaen gofid.'

Roedd Siân wedi plannu hedyn o amheuaeth ym meddwl Cledwyn, ac wrth iddynt gerdded, meddyliodd Cledwyn mor anarferol oedd eu sefyllfa. Tan iddo ef a Siân fynd i Grug, lle cawsant y stori am eu rhieni, doedd y plant heb glywed fawr ddim amdanynt, dim hyd yn oed eu henwau. Ond yn ystod y flwyddyn ddiwethaf roedd Siân a Cledwyn wedi clywed llawer iawn am Meilyr: byddai Nain byth a hefyd yn pwyntio at y mannau lle bu ei mab yn chwarae, yn sôn am ei ddiddordebau, ac yn hel straeon amdano. Yn Aberdyfi, roedd y tŷ yn llawn lluniau ohono ef, ac Eiry. Roedd un o'r lluniau yma'n un arbennig iawn i Cledwyn, a safai'r ffotograff mewn ffrâm bren ar y cwpwrdd bach wrth ei wely. Meilyr yn unig oedd yn y llun, ei draed yn y môr, a'i lygaid yn sgleinio'n llawen. Er mor aml y gwelsai Cledwyn y llun hwn, roedd 'na rhyw wacter mawr yn agor y tu mewn i'w enaid bob tro yr edrychai arno. Roedd o'n ysu am gael cyfarfod â'r dyn hwn. Efallai mai teimlad tebyg roedd Nain yn ei gael, meddyliodd Cledwyn, pan fyddai hi'n edrych ar luniau ei mab.

Wrth i Siân a Cledwyn droi cornel yn y llwybr, crychodd Cledwyn ei dalcen wrth weld rhyw ddwsin o bobol wedi ymhél ar y traeth, pob un yn syllu ar rywbeth ar y tywod.

'Be ar wyneb y ddaear?' ebe Siân mewn penbleth. 'O, y boncyffion! Ty'd Cled!'

Rhuthrodd y ddau draw at y criw, a syllu ar oddeutu deg ar hugain o lympiau du'n codi drwy'r tywod.

'Wyt ti'n cofio Nain yn sôn amdanyn nhw? Boncyffion o hen goedwig hynafol, a does neb yn siŵr pam bod y bonion yn dal yma,' meddai Siân yn llawn cyffro. 'Anaml iawn maen nhw i'w gweld. 'Dan ni'n lwcus i fod yma! O!' ebychodd Siân gan roi ei llaw dros ei cheg.

'Be sy'n bod?' holodd Cledwyn mewn syndod.

'Dwi newydd gofio Nain yn crybwyll y tro dwytha i'r bonion hyn ymddangos – y noson cyn i Dad ddiflannu! Roedd hi'n dweud ei fod mewn hwylia da iawn, achos ei fod o wedi gweld y boncyffion.'

Syllodd Cledwyn ar y lympiau du, gan ddychmygu'r goedwig oedd yn yr union fan flynyddoedd yn ôl. Dychmygodd ei dad yn sefyll yma, ar y traeth hwn, yn syllu'n edmygus ar arwyddion yr amser a fu. Yn sydyn iawn, golchodd ton o emosiwn drosto, er na wyddai'n iawn pam. Teimlai'n anhygoel o agos at ei dad dieithr yn awr, fel pe bai'r un mlynedd ar ddeg ers iddo sefyll yma'n ddim.

Tynnodd Siân ei hesgidiau rhedeg a cherdded yn hamddenol tuag at y dŵr. Roedd hi wrth ei bodd yn trochi ei thraed yn y môr, yn enwedig ar ôl cerdded.

Gwyliodd Cledwyn ei chwaer wrth iddi droedio'n ofalus dros y tywod, a phendronodd wrth iddi stopio cyn cyrraedd y dŵr, ei llygaid yn fawr fel soseri, yn syllu ar y tywod wrth ei thraed.

'Be sy, Siân?' Brysiodd Cledwyn ati, ond nid atebodd Siân. Edrychodd Cledwyn i'r union fan lle roedd hi'n rhythu, ac ebychodd mewn syndod.

Yn y tywod, mewn llawysgrifen fawr flêr, roedd rhywun wedi ysgrifennu â'i fys:

Na, meddyliodd Cledwyn. Does bosib...

'Cyd-ddigwyddiad,' meddai Siân yn sigledig. 'Mae'n rhaid mai un o'r rheina...' Pwyntiodd at y criw oedd yn sefyll o amgylch y boncyffion.

'Dydyn nhw ddim yn siarad Cymraeg hyd yn oed. Fyddai ganddyn nhw ddim enw mor Gymreigaidd!' ebychodd Cledwyn, gan glywed ei lais yn crynu. 'Meilyr!' Galwodd, ond ni wnaeth unrhyw un o'r criw ymateb.

'Rhywun yn chwarae jôc... yn tynnu coes...' dechreuodd Siân.

'Weli di'r goes hir ar yr 'y'? Ysgrifen Dad ydi o.' Cofiodd Cledwyn am y llofnod ar hen gerdyn Sul y Mamau roedd Nain yn ei gadw yn ei llofft.

'Does bosib...'

'Wir i ti, Siân!'

Teimlai Cledwyn fel petai ei galon o wedi stopio.

Eisteddodd yn benysgafn braidd a Siân wrth ei ymyl, y ddau'n syllu ar yr enw yn y tywod am amser hir. Roedd Cledwyn yn gyfarwydd â gweld wyneb ei dad mewn llun, a meddwl amdano fel cymeriad o'r gorffennol – roedd meddwl ei fod o gwmpas yn rhywle, yn agos ato, yn gwneud i ben Cledwyn droi.

'Mae'r saeth yn pwyntio i mewn i'r môr,' meddai Siân. 'Be mae hynny'n feddwl?'

'Does gen i ddim syniad,' atebodd Cledwyn yn bendant. 'Ond mae un peth yn sicr. Tydw i ddim am symud o 'ma nes 'mod i'n cael gwybod.'

Bu'n rhaid i Siân a Cledwyn aros tro byd ar y traeth cyn i'r prysurdeb gilio o amgylch y bonion: Roedd nifer o bobol wedi clywed am ymddangosiad y bonion yn y tywod, ac wedi dod i weld yr olygfa anarferol. Eisteddodd Cledwyn a Siân ar y tywod yn ymyl y fan lle yr ysgrifennwyd enw eu tad. Roedd Cledwyn yn methu tynnu ei lygaid oddi ar y fan honno. Dychmygodd fys esgyrnog ei dad yn llunio'r geiriau yn y tywod, ac aeth ias i lawr ei gefn.

'Cled,' meddai Siân yn dawel. 'Mae pawb wedi gadael.'

Edrychodd Cledwyn o'i gwmpas yn sydyn. Roedd Siân yn iawn: doedd 'run o'r ymwelwyr ar ôl, dim ond ei chwaer ac yntau, a'r haul yn brysur suddo i'r gorwel.

'Mi fydd hi'n tywyllu cyn bo hir, Cled. Fedrwn ni ddim aros yma drwy'r nos. A meddylia am Nain… Mi fydd hi'n poeni amdanon ni…'

'Chydig hirach,' mynnodd Cledwyn, heb edrych i fyw llygaid ei chwaer. Fedrai o ddim gadael y lle, nid ag enw'i Dad wedi ei gerfio yn y tywod. Ochneidiodd Siân yn ysgafn, ond wnaeth hi ddim dadlau.

Arhosodd y ddau nes i'r awyr glas golau hafaidd droi'n dywyll fel olew, a'r gorwel yn stribedi tlws o oren a phinc lle bu'r haul. Dechreuodd Cledwyn feddwl bod ei chwaer yn iawn, bod rhaid iddyn nhw fynd yn ôl at Nain. Trodd at Siân, ond cododd hithau ei bys at ei gwefusau, a chlustfeiniodd. Roedd sŵn rhyfedd yn dechrau llenwi'r awyr... Fel sŵn gwichian coeden yn cael ei hollti mewn storm.

'Cled!' Sibrydodd Siân, gan bwyntio'n gegrwth at y bonion coed yn y tywod.

Nid sŵn coed yn torri... Ond sŵn coed yn *tyfu*.

Yn araf i ddechrau, ac yna'n gyflym, tyfodd glasbrennau bach main o'r bonion, cyn twchu a thyfu'n uchel. Ac nid yn unig y bonion a dyfai'n goed – roedd coedwig yn tyfu o'r dŵr, y canghennau'n dringo a dringo. Erbyn i'r coed pinwydd stopio tyfu, roedden nhw'n anferth, ac ymestynnai coedwig fawr i'r dyfnderoedd. Daeth y niwl o rywle, niwl trwchus llwyd, ac edrychai'r bonion tywyll yn ddychrynllyd o dan olau egwan y lleuad. Ond roedd y tawelwch, a ddaeth i ddilyn y sŵn tyfu, yn dychryn Cledwyn yn fwy na dim.

'O, Cled,' meddai Siân yn wan yn ei ymyl. 'Tydw i ddim yn siŵr am hyn. Ddim yn siŵr o gwbl.'

Teimlodd Cledwyn, ei galon yn curo'n uchel dan ei gôt.

'Be wnawn ni?'

'Mae hi'n amlwg, tydi. Mae'n rhaid i ni gerdded drwy'r coed.' Llyncodd Cledwyn ei boer, a cheisio bod yn ddewr. 'Mi fetia i mai rhywbeth i wneud efo Crug ydi hyn!'

'Ond... Cled, be am Nain?'

Daeth lwmp i wddf Cledwyn wrth feddwl am wyneb pryderus Nain yn edrych ar y cloc, yn poeni amdanynt. Roedd o'n casáu achosi poen meddwl iddi. Ond fedrai o ddim troi ei gefn ar gyfle fel hyn. Nid â'r addewid o weld ei dad yn crafu ar ei feddwl.

'Mae'n rhaid i ni weld i ble mae fama'n arwain, Siân. Mi fydd Nain yn siŵr o ddyfalu mai rhywbeth i wneud efo Crug ydi'r cyfan. A meddylia mor hapus y bydd hi o weld Dad!'

Er mawr syndod i Cledwyn, nodiodd Siân yn araf, ond roedd ei hwyneb yn llawn ofn. 'Ydan ni'n gwneud peth call, Cled?'

'Nac ydan,' atebodd Cledwyn. 'Rŵan, ty'd.'

PENNOD 2

Cerddodd Cledwyn a Siân yn araf drwy'r coed ar lan y môr, y niwl oer yn treiddio trwy eu dillad ac yn gwneud iddynt grynu. Teimlai Cledwyn ei galon yn curo'n gyflym o dan ei siwmper werdd. Gyda phob cam, disgwyliai deimlo dŵr y môr yn dod drwy'i sgidiau, ond rhywsut, ar ôl cerdded am bum munud gyfan, roedd y ddau'n dal ar dir sych.

'Lle mae'r môr?' gofynnodd Cledwyn wrth ei chwaer yn dawel.

'Dwn i ddim. A gwranda… mae sŵn y tonnau wedi diflannu, hefyd.'

Clustfeiniodd Cledwyn. Roedd Siân yn iawn. Doedd 'run smic i'w glywed. Cymrodd gip dros ei ysgwydd a gweld bod y traeth y bu'n sefyll arno wedi diflannu ymhlith y coed trwchus. Wrth edrych i lawr, sylweddolodd nad tywod oedd o dan ei draed, ond carped tywyll o binnau bach y coed pinwydd o'i gwmpas.

Cerddodd y ddau am awr heb sgwrsio o gwbl. Roedd meddwl Cledwyn yn mynnu troi 'nôl at yr Abarimon, bwystfilod rhyfedd a welsai Cledwyn a Siân yng Nghrug y llynedd. Roedd ganddynt wynebau hir main, a gwisgent gotiau ffwr trwchus. Roedd eu traed noeth yn pwyntio tuag at yn ôl yn hytrach nag at ymlaen, ond nid hynny oedd y peth wnaeth ddychryn Cledwyn fwyaf. Cofiodd yr olwg wag, ddiemosiwn oedd yn eu llygaid.

'Dyma ti.' Stopiodd Siân ac estyn dau far o siocled o boced ei chôt. Safodd y ddau am ychydig funudau, yn stwffio darnau o siocled melys i'w cegau.

'Do'n i ddim yn gwybod dy fod ti wedi dod â'r rhain efo ti,' meddai Cledwyn a'i geg yn llawn.

'Wn i ddim pa mor hir ma' nhw wedi bod yn fy mhoced i. Mae'n rhaid 'mod i wedi eu stwffio nhw yno ryw dro, cyn mynd allan.'

Stopiodd Siân a Cledwyn gnoi wrth glywed sŵn ochneidio diamynedd yn dod drwy'r coed. Cydiodd Siân ym mraich ei brawd. Daeth llais o'r un cyfeiriad, yn dweud, 'Pa mor ddwl gall rhywun *fod*?'

Cyn i Siân a Cledwyn gael cyfle i redeg, neidiodd bachgen o frigau'r coed a glanio o'u blaenau. Syllodd Cledwyn arno am ychydig eiliadau. Roedd o'n edrych ychydig yn hŷn na Siân – tuag un ar bymtheg mlwydd oed, efallai – a gwisgai drowsus llac o ddefnydd sach a chrys gwyn, â rhai botymau ar goll. Roedd yn droednoeth, a'i draed mawr yn llwch i gyd. Doedd ganddo ddim gwallt, ond roedd o'n olygus iawn, gyda'i groen tywyll a'i ên sgwâr. Roedd 'na rywbeth yn anarferol am ei groen, meddyliodd Cledwyn, ond allai o ddim yn ei fyw meddwl beth oedd o. Doedd Cledwyn ddim yn siŵr a ddylai o redeg i ffwrdd neu aros yn ei unfan, er doedd y bachgen ddim yn edrych yn beryglus.

'O'n i'n meddwl bod Gili Dŵ wedi dweud wrthoch chi i beidio byth â chario bwyd yng Nghrug!' Fflachiodd llygaid glas golau'r bachgen fel pyllau yng nghanol ei wyneb tywyll. 'A dyma chi, yn sglaffio *siocled* o bob dim! Mae'r stwff yna fel aur yn y fan hyn. Mae 'na ryfeloedd wedi eu dechrau yn y wlad yma dros hanner bisgien stêl!'

Crychodd Siân ei thalcen. Doedd hi ddim yn hoffi pobl yn dweud y drefn wrthi.

'Gili Dŵ? Ydach chi'n adnabod Gili Dŵ?' holodd Cledwyn yn llawn cyffro. 'Ydan ni yng Nghrug rŵan ta?'

'Gili Dŵ wnaeth fy anfon i i'ch nôl chi,' atebodd y bachgen. 'Ac ydan, Cled, mi rydan ni yng Nghrug – er, rhan eithaf gwahanol i lle y buoch chi'r tro dwytha. Mae'r fan hyn yn beryclach.'

'Lle mae Gili Dŵ?' gofynnodd Siân yn amheus. 'A sut ydan ni'n gwybod dy fod ti'n dweud y gwir?'

'Mi ddywedodd Gili Dŵ y byddet ti'n gofyn hynny.' Gwenodd y bachgen, gan ddangos rhes o ddannedd perlaidd perffaith.

'Wel mae o'n gwestiwn digon teg!' ebe Siân yn ddig. 'Gallet ti fod yn unrhyw un.'

'Mi ddywedodd o y byddet ti'n dweud hynny hefyd!' Chwarddodd y bachgen. 'Mael ydw i. Ffrind Gili Dŵ. Ac Eiry, o ran hynny. Rwyt ti'n debyg iawn i dy fam, Siân. A thithau, Cled, yn union fel maen nhw wedi dy ddisgrifio di.'

Gwenodd Cledwyn. Roedd o'n hoff o Mael yn barod.

'Rŵan ta, ga i awgrymu ein bod ni'n gadael cyn gynted â phosib. Mae hi'n beryglus iawn yma.'

''Dan ni'n gwybod hynny,' meddai Siân yn bwdlyd. ''Dan ni wedi bod yma o'r blaen.'

'Mae'n beryclach byth yma erbyn hyn. Dewch, mi fydd Gili Dŵ yn poeni amdanoch chi.'

Trodd Mael ar ei sawdl a cherdded oddi yno. Dilynodd Siân a Cledwyn ef drwy'r goedwig, y pinnau o'r coed yn crensian o dan eu traed. Dechreuodd Cledwyn ofyn cwestiwn i Mael, ond y cyfan wnaeth o oedd codi ei fys at ei wefusau i'w dawelu. Gwgai Siân tu ôl i gefn Mael.

Cerddodd y tri am sbel, mewn tawelwch llwyr. Roedd Siân yn parhau i syllu'n ddig ar Mael, er nad oedd Cledwyn yn deall yn iawn pam. Roedd Cledwyn yn nerfus. Er i gerddediad cadarn a hyderus Mael dawelu ei feddwl ryw ychydig, roedd Cledwyn hefyd yn ymwybodol iawn bod Mael wedi cyfeirio at y rhan hon o Grug fel lle peryglus iawn. Credai Cledwyn iddo wynebu bwystfilod mwyaf dychrynllyd Crug ar ei ymweliad cyntaf, ond roedd o'n dechrau amau hynny erbyn hyn. Oedd rhywbeth annisgrifiadwy o erchyll yn aros amdano ymhlith y coed?

Daeth y tri i ymyl y goedwig, a rhoddodd Mael ei fraich allan i'w rhwystro rhag cerdded ymhellach. Clustfeiniodd am ychydig, cyn sibrwd yn dawel iawn.

'Tydi Gili Dŵ 'mond rhyw ddeng munud i ffwrdd, ond tydi hynny ddim yn esgus i ni beidio â bod yn wyliadwrus. Does 'na ddim coed o hyn ymlaen i'n cuddio ni. Taw pia hi, iawn?'

Rholiodd Siân ei llygaid gan blethu ei breichiau a phwyso'n erbyn coeden. 'Oes angen bod mor ddramatig?' Roedd gan Cledwyn gywilydd am ei bod hi'n bod mor anniolchgar wrth Mael. Doedd ganddo ddim syniad beth ddaeth drosti.

Anwybyddodd Mael eiriau Siân a gadawodd y goedwig, gyda Cledwyn yn dilyn yn ei gysgod. Roedd y tir dan draed yn greigiog, a gallai Cledwyn weld yng ngolau'r lleuad nad oedd 'run planhigyn byw ar gyfyl y lle. Codai'r creigiau rai troedfeddi uwchben y ddaear, roedd pantiau a thyllau mewn mannau eraill a'r cyfan yn dyllog ac anwastad. Doedd dim harddwch yn perthyn i'r lle, meddyliodd Cledwyn, gan gofio'r bryniau bach del oedd yn amgylchynu bwthyn bach Gili Dŵ, ym Mhendramwnwgl.

'Arhoswch!' gorchmynnodd Mael yn sydyn, gan ymestyn ei fraich i rwystro Cledwyn a Siân rhag pasio. Gwrandawodd yn astud am amser hir.

'Wedi clywed rhywbeth, wyt ti?' holodd Cledwyn yn dawel.

'Na, ond fedrwn ni ddim bod yn rhy ofalus.'

'Haleliwia!' ebychodd Siân. 'Am lwyth o...'

'Meddwl 'mod i'n rhy ofalus?' Trodd Mael i wynebu Siân a syllu arni heb arlliw o wên ar ei wyneb.

'Wel... does neb arall yma, nac oes? Mae'n amlwg!' Plethodd Siân ei breichiau. 'A phwy allith eu beio nhw? Fysa neb yn *dewis* dod i le mor ddiffaith.'

'Yn union,' atebodd Mael. 'Rŵan dewch, a chadwch yn dawel.'

Sleifiodd Mael i lawr rhwng dwy graig ar hyd y bwlch cul. Dilynodd Siân a Cledwyn ef, gan gymryd gofal i beidio â sefyll ar y cerrig miniocaf dan draed. Diflannodd Mael i mewn i un o'r cysgodion drwy fwlch yn y graig. Twnnel! Ew, roedd hi'n gyfyng yma, meddyliodd Cledwyn, ac yntau'n casáu bod mewn llefydd caeëdig. Roedd y twnnel yn isel – roedd rhaid plygu er mwyn dilyn Mael. Ond, diolch byth, doedd y twnnel ddim yn un hir ac ymhen ychydig fetrau agorodd i mewn i ystafell fach dywyll.

Safodd Cledwyn am ychydig eiliadau, er mwyn i'w lygaid ddod i arfer â'r tywyllwch. Doedd yr ystafell ddim yn fawr – tua'r un maint â'r landin ar ben y grisiau yn eu cartref yn Aberdyfi – ac roedd yn hir a chul. Roedd tanllwyth bychan o dân yn llosgi ym mhen arall yr ystafell, ac o ganlyniad roedd yn llawn o fwg trwchus. Crogai crochan bach budr uwchben y tân, ac roedd y llawr wedi ei orchuddio â blancedi a sachau. Eisteddai creadur bach lliw coffi ger y tân, a hwnnw'n canolbwyntio'n gyfan gwbl ar gerpyn o ddefnydd yn ei ddwylo. Roedd nodwydd wau ym mhob llaw, un yn llawer mwy na'r llall, ac roedd y sgarff lliw mwstard a grogai ohonynt yn llawn tyllau.

'Gili Dŵ!' bloeddiodd Cledwyn, gan ruthro at y creadur bach a'i gofleidio'n dynn. Ymunodd Siân yn y gofaid, a theimlodd Cledwyn don o lawenydd pur yn golchi drosto. Ei ffrind gorau yn y byd!

Pan dynnodd Cledwyn a Siân oddi wrth Gili Dŵ, sychodd y creadur bach ddeigryn o'i lygaid mawr porffor a rhoddodd ei sgarff o'r neilltu. 'Iesgob mawf. Dydach chi'n annwyl? Yn fy nghofleidio i ef bod fisg dif-fifol y byddech chi'n cael eich pfocio i fafwolaeth gan fy nodwyddau gwau,' snwffiodd Gili Dŵ. 'Am ff-findiau tfiw!'

'Sut wyt ti, Gili Dŵ?' holodd Siân. 'A be ar wyneb y ddaear wyt ti'n gwneud yn y twll yma? Lle ma Eiry?'

'Ew,' chwarddodd Mael. 'Dyna lawer o gwestiynau!'

'Mae gen i un arall, hefyd,' meddai Siân yn biwis. 'Pwy ydi *o*?'

'Wnest ti ddim cyflwyno dy hun, Mael?' Neidiodd Gili Dŵ ar ei draed ac aeth i brocio'r tân.

'Do, wrth gwrs. Ond mae gen i deimlad nad yw Siân wedi 'nerbyn i eto.' Roedd gwên fach yn chwarae ar wefusau Mael.

'Dim hynny!' meddai Siân yn gyflym. 'Dim ond... wel, dydw i ddim yn dy nabod di, ydw i?'

'Call iawn, Siân, os ca i ddweud.' Defnyddiodd Gili Dŵ brocer y tân i gymysgu cynnwys y crochan. 'Yn yf oes yma, mae cadw hyd bfaich yn beth feit gall i'w wneud.'

'Yn union,' gwenodd Siân yn fuddugoliaethus ar Mael, ond dim ond gwenu 'nôl arni wnaeth o.

'Ond mi fedfa i ddweud, efo'n llaw af fy nghalon, bod Mael 'ma'n gfêt o hogyn. Sioft ofa. Mi fedfwch chi ymddified ynddo fo, wif yf, i chi.' Gwenodd Gili Dŵ ar Mael, a syllodd Siân ar ei thraed. Edrychodd Mael ar Siân gan wenu, heb boen yn y byd ei bod hi'n ei amau, a sylwodd Cledwyn unwaith eto ar y llinellau tenau yn rhedeg i lawr ar hyd ei groen. Tybiodd mai rhyw fath o salwch oedd ar Mael. Er, rhywsut, roedd y llinellau'n gweddu iddo'n berffaith – roedd o'n hogyn anhygoel o olygus.

'Gili Dŵ?' gofynnodd Cledwyn. 'Pam nad wyt ti ym Mhendramwnwgl? Mae o'n llawer mwy clyd na'r hen ogof 'ma.'

'Ia, wel,' meddai Gili Dŵ yn nerfus. 'Mae hi'n stofi

hif, mae afna i ofn...'

'Be sy wedi digwydd?' gorchmynnodd Siân. 'Ydi Eiry'n iawn?'

'Cawl yn gyntaf,' atebodd Gili Dŵ, gan ymestyn y tu ôl i'r crochan i nôl pedwar cwpan copr budr. Llenwodd y cwpanau o'r crochan, a'u rhoi iddynt. Diolchodd pawb yn dwymgalon, er mor anhyfryd oedd eu cynnwys. Syllodd Cledwyn i mewn i'w gwpan a thrio peidio â chrychu ei drwyn wrth weld y cawl clir â dail bach yn arnofio ynddo. Caeodd ei lygaid a llyncu'r cyfan. Doedd o ddim mor ddrwg â'r disgwyl – yn amlwg, doedd dim mwy i'r swper na dŵr a dail. Roedd Cledwyn wedi ofni hen gompost neu sudd cynrhon!

'Felly, Cled,' holodd Gili Dŵ gan sychu ei geg ar gefn ei law. 'Sut wyt ti'n setlo yn Ysgol Tywyn?'

'O, Gili Dŵ!' Tarodd Siân ei chwpan wag ar lawr. 'Wnei di plîs roi'r gorau i wastraffu amser a dweud be sy wedi digwydd?'

Ochneidiodd Gili Dŵ. 'O, olfeit ta, ef tydi o ddim yn hanes neis iawn. Af ôl i chi fynd adfe, mi afhosais i ym mhalas Eify, yn ffoi help llaw iddi gydag ambell beth. Foeddan ni'n mynd am dfo bob dydd – fel y gwyddoch chi, mae ganddi ofn y tif agofad y tu allan i'f palas. Ond foedd hi'n gwella'n afw. Foeddan ni'n mynd ychydig ymhellach bob dydd. Foedd hi'n dechfau mwynhau hefyd, cael gweld golygfa wahanol i'f af-fef, gweld y gloÿnnod byw a chlywed yf adaf bach a ballu. Foedd o'n gfêt,' gwenodd Gili Dŵ wrth gofio. 'Ac yna, gyda'f nos, foedd y ddau ohonan ni'n eistedd yn y llyf-fgell yn dafllen popeth foeddan ni'n gallu dod o hyd iddo am eich byd chi.'

Ceisiodd Cledwyn ddychmygu Eiry a Gili Dŵ yn ffurfio cyfeillgarwch, yn sgwrsio dros y ddesg yn llyfrgell fawr lychlyd y palas. Roedd y ddelwedd yn un od gan fod Gili Dŵ mor flêr a chyfeillgar, ac Eiry'n hoffi perffeithrwydd ac yn medru ymddangos mor oeraidd.

'Af ôl ffyw ddeufis, mi es i adfe i Bendfamwnwgl. Ew, foedd yf hen le wedi hel llwch! Foedd 'na deulu o wiwefod gwyfddlas wedi ymgaftfefu yn y simdde, ac maen nhw'n hen betha cas i'w symud, efo'i dannedd mawf pigog. Foedd y ffenestfi mof fudf, foedd ffaid i mi gfafu'f baw i ffwfdd efo cymysgedd o...'

'Gili Dŵ!' meddai Siân mewn rhwystredigaeth. 'Plîs caria mlaen efo'r stori!'

'W, ia siŵf. Beth bynnag, foedd Eify'n anfon ei cheffyl, Blodug, – ydach chi'n ei gofio fo? – a chefbyd, i fy nôl i bob wythnos ac mi fyddwn i'n mynd dfaw i'w gweld hi. Foedd ganddon ni gynllun, 'dach chi'n gweld – y ddau ohonon ni'n bwfiadu dod dfaw i Abefdyfi dfos y Nadolig.'

'O, mi fyddai hynny wedi bod yn grêt!' ebychodd Cledwyn, gan gofio'r siom o beidio â chael cerdyn gan ei fam na Gili Dŵ.

'Bydda! Foeddan ni'n defnyddio'r wafdfob gfêt 'na yn dy lofft di yn y palas, Siân – wsti, hwnnw sy'n cfeu pa ddilledyn bynnag fwyt ti'n gofyn amdano – i gfeu dillad fyddai'n gweddu'n iawn yn Abefdyfi. Fo'n i am fynd fel mofwf, ac foedd gen i het big sgleiniog a chfys stfeips fydda wedi edfych yn anfafwol af stfydoedd Abefdyfi.' Dychmygodd Cledwyn faint o sioc byddai trigolion Aberdyfi wedi ei gael o ddod wyneb yn wyneb â Gili Dŵ mewn het morwr. 'Beth bynnag, tua'f adeg honno y gwnaeth Eify a finna gyfaf-fod â Mael.'

'Yn lle?' holodd Siân.

'Foedd Eify a finnau wedi cefdded ychydig filltifoedd o'f palas, ac foeddan ni'n sbio af nyth ffyw ddefyn go liwgaf mewn coeden, pan ymddangosodd Mael o'f canghennau. Wel, bu bfon i mi gael haftan yn y fan a'f lle, wif i chi! Doedd 'na fawf o bwynt ffedeg, a beth bynnag, toedd o ddim yn edfych fel tasa fo am ein bfifo ni.'

'Beth wnaethoch chi?' gofynnodd Siân.

'Wel, 'dach chi'n gwybod fel mae Eify. Mi ofchmynnodd hi iddo fo ddod i lawf o'f goeden a dweud ei enw, o ble foedd o, a gofyn iddo esbonio pam foedd o'n cuddio yn y goeden. Ew, foedd hi'n gfêt, chwafae teg. Mof gadafn, fo'n i bfon bod 'i hofn hi fy hun!'

'A be ddywedest ti, Mael?' holodd Cledwyn.

'Dweud mai Mael yw fy enw i, o dref Abermorddu. A 'mod i wedi dod i'w rhybuddio nhw.'

'Eu rhybuddio nhw? Am beth?' holodd Siân mewn penbleth.

Ymestynnodd Mael i'w boced i nôl darn o bapur crychlyd, a rhoddodd y papur i Siân. 'Mi aeth y rhain drwy bob drws yn Abermorddu. Roeddwn i'n meddwl y dylech chi a'ch mam a'ch cyfaill gael gwybod.'

Edrychodd Cledwyn ar y papur yn nwylo crynedig Siân wrth iddi ei agor. Roedd y pennawd yn fawr a'r ysgrif fel petai o bapur newydd.

Ymwelwyr o'r byd arall yn bygwth
CIPIO GRYM!

Rydym ni, grŵp sy'n galw'n hunain yn Ymgyrch Cadw'r Heddwch (YCH), yn teimlo ei fod yn gyfrifoldeb arnom ni i rannu gwybodaeth newydd â chi, drigolion Crug.

Yn ddiweddar, mae nid un, ond dau ymwelydd o'r byd arall wedi bod yn crwydro yng Nghrug gan achosi anhrefn llwyr.

Eu henwau yw Sharon a Clem, ac mae eu mam, Eira, yn iarlles sy'n byw mewn palas yn ein gwlad. Bu Sharon a Clem yn treulio ychydig o'u hamser yno yn ystod yr haf, ond nid cyn iddynt grwydro'r wlad yn gwneud ffrindiau â bwystfilod, a gwneud gelynion o bobol gall fel chi a fi.

'Roedden nhw'n afiach,' meddai Arianwen, aelod o'r Marach, cymuned glòs o ferched hardd a hawddgar. 'Yn enwedig yr hogyn. Roedd ganddyn nhw ffrind bach o'r enw Bili Bŵ, hen anifail bach budr oedd yn methu siarad yn iawn hyd yn oed.'

Disgrifiodd Arianwen sut roeddent yn:

* YMOLCHI o leiaf unwaith y dydd!

* BOD YN DDIGYWILYDD ac yn methu ymddiried yn unrhyw un!

* CEISIO NEWID TRADDODIADAU Crug gan fynnu mai eu safbwyntiau hwy oedd yn iawn!

'Maen nhw wedi gwneud drwg i gymuned y Marach,' meddai Arianwen. 'Mae 'na rwyg mawr wedi codi yn ein cymuned ers iddyn nhw ddod yma a newid popeth.'

Mae'n RHAID i ni warchod Crug rhag yr estronwyr peryglus hyn. Er mai dim ond dau sydd yma rŵan, mae mwy yn siŵr o'u dilyn.

Peidiwch â gadael i'r estronwyr gipio ein gwlad ni!

'Wel, mae hynna'n hollol ddwl!' ebychodd Siân ar ôl gorffen darllen y cyfan. 'Cipio eu gwlad nhw, wir! Am lol! Dwi'n amau a fydd unrhyw un yn cymryd sylw o hwn...'

'Maen nhw wedi cymryd sylw, Siân,' meddai Mael yn dawel. 'Mae'r ffurflenni hyn wedi dychryn pobol. Maen nhw'n disgwyl y bydd miloedd o'ch byd chi'n dod yma, ac yn rhyfela yn eu herbyn.'

'Rhyfela?' holodd Cledwyn, oedd wedi synnu'n lân gan y cyfan. 'Pam y bydden ni'n rhyfela yn eu herbyn nhw?'

'Mae pawb yn gwybod bod trigolion eich byd chi byth a hefyd yn rhyfela yn erbyn eich gilydd,' atebodd Mael.

'Mae o'n ffyw fath o hobi iddyn nhw, tydi,' nodiodd Gili Dŵ yn ddoeth.

'Nac ydi wir!' meddai Siân yn gandryll. 'Does neb yn mwynhau rhyfel...'

'Ew! Nac oes?' holodd Gili Dŵ mewn syndod. 'Fo'n i'n meddwl mai un o'ch hoff bethau chi oedd cwffio yn efbyn eich gilydd...'

'Beth bynnag,' torrodd Mael ar ei draws. 'Y pwynt ydi, mae gan drigolion Crug ofn eich bod chi'n bwriadu cymryd drosodd, ac maen nhw'n dechrau dyfeisio ffyrdd o rwystro hynny rhag digwydd.'

'Mae hyn yn hollol wirion,' ebychodd Siân. 'Tydan ni ddim yn bwriadu...'

'Beth wyt ti'n feddwl, Mael?' teimlodd Cledwyn ias oer yn cerdded i lawr ei asgwrn cefn wrth feddwl bod 'na bobol yn ei gasáu. 'Be maen nhw'n bwriadu wneud?'

'Y ffordd fwyaf effeithiol, dybiwn i, ydi cael gwared â'r rhesymau pam rydych chi'n dod i Grug yn y lle cyntaf.'

'I weld Eiry a Gili Dŵ,' meddai Siân yn dawel.

'Ond... ond...' poerodd Cledwyn, a'i feddwl yn gweithio'n gyflym. 'Fysa nhw ddim yn brifo Gili Dŵ ac Eiry? Na fasen?'

Edrychodd Mael a Gili Dŵ ar ei gilydd yn sydyn, cyn i Gili Dŵ droi at Cledwyn â gwên fach nerfus ar ei wyneb. 'Wel, diolch byth, mi foddodd Mael ddigon o fybudd i ni, ac mi aeth Eify 'nôl i'w phalas, ac mi es innau i guddio. Mae 'na hen ddigon o hud yn amgylchynu'f palas i wafchod Eify, ac mi fydw innau'n iawn, cyn belled â 'mod i'n symud o le i le.'

'Pam na fysat ti wedi aros yn y palas?' gofynnodd Siân.

'Mi gysidfais i wneud! Doedd o ddim yn bendeffyniad hawdd o gwbl. Ond mi gofiais i'f adeg honno pan fuon ni'n pedwaf, chi ac Eify a finnau, yn sownd yn y palas am wythnosau. Ac mi sylweddolais ei bod hi'n well bod yn ffydd, ac yn ffedeg o le i le, na bod mewn cafchaf.'

'Ydach chi ddim yn gorymateb braidd?' holodd Siân yn amheus. 'Go brin y gwnaiff unrhyw un ymweld â'r palas, na Phendramwnwgl.'

'Mae'r palas dan warchae,' meddai Mael, gan syllu i fyw llygaid Siân. 'Does 'na ddim metr o'r wal nad yw'n cael ei wylio. Mae pump o bobol wedi symud i mewn i Bendramwnwgl.' Teimlodd Cledwyn y lliw i gyd yn diflannu o'i wyneb. Eisteddodd y pedwar am ychydig, a dim ond clecian y tân yn llenwi'r tawelwch.

'Ac enw Dad yn y tywod?' holodd Cledwyn yn dawel. 'Beth oedd hynny'n ei olygu?'

'Enw eich tad?' holodd Mael mewn penbleth.

Esboniodd Cledwyn sut roedd enw Meilyr wedi ymddangos yn y tywod, a sut roedd y goedwig wedi tyfu yn y môr yng nghanol y nos.

'Ni wnaeth drefnu'r coed dyfu, er mwyn eich denu chi yma,' atebodd Mael. Roedd Gili Dŵ yn amau y byddech chi'n dyfalu bod cysylltiad â Chrug, ac y byddech chi'n cerdded i mewn i'r goedwig. Ond nid ni wnaeth ysgrifennu enw'ch tad yn y tywod. Tydw i'n gwybod dim am hynny.'

'Ydi hynny'n golygu... efallai fod Dad yma? Yng Nghrug?' Teimlodd Cledwyn ei fol yn dawnsio mewn cyffro.

'Gall fod,' atebodd Mael gan edrych yn anghyfforddus. 'Ond fyddwn i ddim yn rhy obeithiol petawn i'n chi. Mae'n bosib mae cyd-ddigwyddiad oedd y cyfan. Mae'n bosib, hefyd, bod criw YCH wedi ei greu o yno i'ch denu chi yn ôl i Grug, er mwyn iddyn nhw gael dial arnoch chi.'

'Oes ganddyn nhw'r gallu i wneud hynny?' holodd Siân.

'Doeddwn i ddim yn meddwl bod ganddyn nhw fawr o hud, ond falle 'mod i'n anghywir. Efallai eu bod nhw wedi dechrau gwneud cyfeillion pwerus yn barod.'

Er na ddywedodd Cledwyn 'run gair, roedd ei galon wedi dechrau curo'n gynt. Efallai mai Mael oedd yn iawn, ac mai YCH a roddodd enw ei dad yn y tywod er mwyn ei ddenu o a Siân yn ôl i Grug. Ond methai Cledwyn beidio ag ystyried posibiliad arall – mai neges gan ei dad oedd yr enw yn y tywod.

'Un cwestiwn arall,' meddai Siân, gan syllu ar Mael. 'Pam rwyt ti yma? Rwyt ti'n gosod dy hun mewn sefyllfa go beryg yn ymwneud efo ni. Pam cymryd y risg?'

Am y tro cyntaf, edrychodd Mael yn gymysglyd. 'Am mai dyna'r peth iawn i'w wneud, wrth gwrs.'

Edrychodd Siân i ganol y tân am ychydig, cyn syllu'n ôl i fyw llygaid Mael drachefn. 'Wel, diolch. Mae hynny'n garedig iawn, Mael.'

Er nad oedd Cledwyn yn siŵr, credai iddo weld gwrid yn codi yng ngruddiau brown Mael.

'Y peth ydi, 'dach chi'n gweld, foedd ffaid i ni'ch ffybuddio chi. Mae hi fwy neu lai'n amhosib i'f YCH 'ma ddod dfaw i'ch byd chi, ond mae'n edfych yn debyg eu bod nhw'n gallu gwneud tficiau go gas i'ch denu chi yma, ac yn syth atyn nhw. Ond fŵan gan eich bod chi'n gwybod, wnewch chi ddim cael eich twyllo, ac mi gewch chi fynd yn ôl i Abefdyfi ac esbonio'f cyfan wfth eich nain.'

'Yn ôl i Aberdyfi?' holodd Cledwyn yn syn. 'Ond be wnewch chi?'

'Cafio mlaen fel hyn tan i'f holl lol 'ma ddod i ben,' atebodd Gili Dŵ, gan drio'i orau i edrych fel petai dim ots ganddo. 'Maen nhw'n siŵf o gallio ffyw ben, wyddoch chi.'

'A beth amdanon ni?' gofynnodd Siân. 'Pryd gawn ni ddod yn ôl i Grug?'

'Wel, mi fyddai hynny'n hollol ffôl,' meddai Mael, gan osod darn arall o bren ar y tân. 'Mi fyddai'n rhoi ein bywydau ni i gyd mewn perygl.'

'Ond... ond...' dechreuodd Cledwyn. 'Chawn ni fyth ddod yn ôl i Grug, felly?'

'Fyddwn i ddim yn argymell i chi wneud.'

'A beth am Eiry a Gili Dŵ?' gofynnodd Siân yn wan. 'Pryd bydd hi'n saff iddyn nhw ddod draw i Aberdyfi?'

'Ddim am hir, mae arna i ofn,' atebodd Mael yn dawel. 'Mi fyddai hynny'n ofnadwy o beryglus. Rhag ofn bod rhywun yn eu gwylio.'

Bu tawelwch hir, ac nid edrychodd neb ar ei gilydd. Roedd calon Cledwyn wedi suddo i'w fol, a theimlai ei ysgyfaint yn dynn wrth feddwl am y peth. Byddai pethau'n mynd yn ôl i fel y buont cyn iddo ddod i Grug – dim gobaith am ddod yn ôl, a dim gobaith i weld Eiry na Gili Dŵ am amser hir. Roedd meddwl am y peth yn torri calon Cledwyn, a cheisiodd beidio â chrio. Roedd o wedi edrych ymlaen gyhyd at ddod yn ôl, a rŵan byddai'n rhaid iddo ddychwelyd yn syth i Aberdyfi.

'Wel,' ochneidiodd Siân o'r diwedd. 'Mae'n edrych yn debyg nad oes gynnon ni ddewis.'

'Mae'n ddrwg gen i,' meddai Mael wrth godi ar ei draed. 'Mi a' i â chi 'nôl, rŵan.'

'Yn ôl?' meddai Siân, gan godi un o'i haeliau. 'Tydw i ddim yn meddwl.'

'Ond... ond, Siân...' dechreuodd Gili Dŵ.

'Tydi Cled na finna ddim yn bwriadu ei heglu hi o 'ma, a gadael i chi guddio mewn tyllau ar hyd eich oes. Na, ma'n rhaid dangos i'r bobol YCH 'ma be ydi be.'

'Dwyt ti DDIM o ddifri.' Syllodd Mael ar Siân mewn anghrediniaeth llwyr.

'Yndw tad! Paid â phoeni, dydw i ddim yn sôn am gwffio na rhyw lol fel 'na. Y gwir ydi, mae'r bobol hyn yn meddwl ein bod ni'n dod yma i gymryd drosodd, ond tydan ni ddim, nac 'dan? Felly'r cyfan sy'n rhaid i ni neud ydi mynd i Abermorddu, a siarad efo'r bobol hyn. Esbonio'n bod ni 'mond yn bwriadu ymweld â Chrug weithiau, dim ond Cled a finnau, i weld Eiry a Gili Dŵ. Ac wedyn, mi fydd pob dim yn iawn, 'yn bydd?'

'Dwyt ti ddim yn gall,' meddai Mael. 'Ddim yn gall o gwbl.'

'Yndw siŵr! Be ti'n feddwl, Cled?'

Roedd Cledwyn yn cytuno â Mael. Roedd Siân yn wirion bost. Ond gwyddai'n syth ei fod o wedi gwirioni efo'r cynllun, a theimlodd y cyffro o fod ar fin wynebu antur yn llenwi ei gorff. 'Dwi'n meddwl y dylian ni fynd amdani.'

Lledaenodd gwên yn araf dros wyneb bach Gili Dŵ. 'Ew. Mae'n bfaf i'ch cael chi 'nôl.'

PENNOD 3

Treuliodd Cledwyn, Siân, Gili Dŵ a Mael eu noson yn yfed llond cwpanaid yr un o gawl di-flas o'r crochan, ac yn cynllunio ar gyfer eu taith. Roedd Siân yn bendant mai mynd yn syth am Abermorddu fyddai orau.

'Ga i awgrymu mynd i rywle arall yn gynta?' holodd Mael. 'Mae 'na ddynes ddoeth yr hoffwn i gael ei barn hi ar hyn i gyd.'

'Ei barn hi? I be? 'Dan ni wedi penderfynu be 'dan ni am wneud yn barod!'

'Wel, mi fyddai'n dda ei chael hi ar ein hochr ni,' atebodd Mael yn bendant. 'Mae ganddi lawer o swynion a allai fod o help mawr i ni. Mae hi'n ddoeth dros ben...'

'Swynion?' gofynnodd Gili Dŵ yn ddrwgdybus. 'Plîs paid â dweud mai gwrach ydi hi.'

'Wel... ia,' cyfaddefodd Mael. 'Ond tydi hynny'n golygu dim byd dyddia 'ma. Ac mae hi'n grêt am gefnogi achosion da.'

'Wyt ti wedi cwfdd â hi o'f blaen, felly?'

'Wel, na, ddim yn union. Ond mae pawb yn gwybod ei bod hi'n ddynes arbennig iawn, a'i bod hi'n...'

'Mael!' ebychodd Gili Dŵ, a'i lygaid mawr yn llawn ofn. 'Be os ydi hi'n ddfwg go iawn? Be, pe bai hi'n ochfi efo YCH? Hen bethau cas ydi gwrachod. Mi glywais i am un yn coginio'i gelynion efo stwnsh maip a gfefi...' Ochneidiodd Gili Dŵ. 'Dwi'n ama y byddwn i'n blasu'n feit dda mewn cinio dydd Sul.'

'Tydw i ddim yn deall,' meddai Cledwyn, gan grychu ei dalcen. 'Pam trafferthu mynd i'w gweld hi, Mael, os ydan ni mewn brys i fynd i Abermorddu? Mi wn i dy fod ti am ei chyfarfod hi, ond fyddai hi ddim yn gwneud mwy o synnwyr i fynd yno ar ôl sortio'r busnes YCH 'ma gynta?'

'Dwi'n ofni y bydd yn rhaid i ni fynd i'w gweld hi. Mae 'na fymryn o broblem, 'dach chi'n gweld,' atebodd Mael gan dynnu wyneb. 'Mae 'na rwystr mawr rhwng y fan hyn ac Abermorddu. Rhwystr enfawr, i ddweud y gwir.'

'Bwystfil?' holodd Cledwyn, ei ddychymyg yn gweithio'n galed.

'Ysbrydion?' gofynnodd Siân yn frwd.

'Gwaeth,' atebodd Mael yn ddwys. 'Môr.'

'Hm,' nodiodd Siân yn feddylgar. 'Mae hynny'n sicr yn cymhlethu petha. Ond 'dan ni'n siŵr o ddod o hyd i gwch yn rhywle.'

'Cwch? *Cwch*?' holodd Gili Dŵ yn anghrediniol. 'Dfos y mofoedd yng Nghfug? Fysan ni ddim yn pafa hannef milltif!'

'Paid â gor-ddweud, Gili Dŵ,' wfftiodd Siân. 'Twt lol. Mi fyddan ni'n iawn, siŵr.'

'Tydi o ddim yn gor-ddweud.' Edrychodd Mael arni'n drist. 'Mae'r moroedd yma'n llawn o'r bwystfilod mwya dychrynllyd.'

'Crancod?' holodd Cledwyn, a'i lwnc yn sych. 'Siarcod?'

'Oes, mae'r rheiny. Rhai sy'n ddeg gwaith maint y

rhai yn eich byd chi. Ond tydi hyd yn oed y rheiny'n ddim byd i'w cymharu efo'r creaduriaid eraill sydd o gwmpas. Ellyllon, bwganod efo crafangau gwenwynig, pysgod bach, bach sy'n gallu eich lladd chi ag un brathiad. Mae'r môr yn *ofnadwy* yma, coeliwch chi fi.'

'Os ydi o mor ofnadwy,' meddai Siân yn goeglyd, 'sut medraist ti groesi draw o Abermorddu i'r fan hyn? Nofio?'

Ysgydwodd Mael ei ben. 'Mi guddiais i mewn cwch pysgota, a choeliwch chi fi, mae'r môr yn beryclach nag unrhyw beth a welais i cynt. Roedd ugain dyn cryf ar y llong pan gychwynnon ni o Abermorddu a dim ond chwech oedd ar ôl i wneud y siwrna adra. Beth bynnag, y pwynt ydi hyn, does dim ffordd yn y byd y gallwn ni gyrraedd Abermorddu heb long. A llong go gryf ar hynny.'

'Ond ble yn y byd 'dan ni'n mynd i gael gafael ar long?' gofynnodd Cledwyn, gan drio'i orau i beidio â meddwl mor ddychrynllyd byddai bod yng nghanol dyfroedd perygl Crug, llong neu beidio.

'Wel, dyna ble byddai Mina'n ddefnyddiol i ni,' esboniodd Mael. 'Rydw i'n digwydd gwybod bod ganddi glamp o long gref. Falla, os gwnawn ni esbonio'n sefyllfa…'

'Wyt ti wir yn meddwl y byddai'r Mina 'ma'n benthyg ei llong, sy'n fwy na thebyg yn werth degau o filoedd o bunnoedd, i griw o bobol ddieithr sy'n reit debygol o weld trigolion Abermorddu yn ymosod arnyn nhw, ac felly hefyd yn ymosod ar y llong?' gofynnodd Siân gan godi un o'i haeliau'n amheus.

'Tydan ni ddim gwaeth â thrio,' atebodd Mael yn gadarn. Ochneidiodd Siân, ond ni ddywedodd hi 'run gair.

'Felly, dyna wnawn ni 'ta, ia?' holodd Cledwyn. 'Mynd i weld y Mina 'ma, ac yna mlaen i Abermorddu?'

'O, olfeit ta. Ef, dw i'n dal ddim yn siŵf y dylian ni fod yn ymwneud efo gwfachod. Y petha 'dwi 'di clywed amdanyn nhw... A fedfwch chi byth ymddified yn ffywun sy'n bwyta pfyfaid cop amfwd...'

'Os nad oes ots gen ti, Gili Dŵ, 'sa'n well gen i beidio gwybod. Ac ydw, Cled, rydw i'n cytuno efo'r cynllun,' meddai Siân.

'Dyna ni, ta,' meddai Mael yn bendant. 'Peth cynta bore fory, mi wnawn ni adael y fan hyn, a chychwyn tuag at gartref Mina.' Cododd ar ei draed a chroesi'r ogof at dwmpath o sachau yn y gornel. Dosbarthodd un bob un i bawb. Digalonnodd Cledwyn wrth sylwi mor fochaidd a drewllyd oedden nhw. 'Ga i awgrymu bod pawb yn cael noson dda o gwsg?'

Ceisiodd Cledwyn ei orau i swatio yn y sach, oedd yn llychlyd ac yn arogli fel petai ci gwlyb wedi bod yn cysgu arni. Doedd y sach ddim yn ddigon mawr i orchuddio'i goesau, heb sôn am weddill ei gorff. Ystyriodd ofyn i Mael sut siwrne oedd yn eu hwynebu yfory, ac am ddisgrifiad manylach o Mina'r wrach, ond penderfynodd ei bod hi'n well ganddo beidio â gwybod.

Gorweddodd Cledwyn am ychydig yn gwylio'r tân, ac yn meddwl am Nain. Tybed oedd hi'n dal i gysgu? Neu a fyddai allan ar y traeth yn chwilio'n ddyfal am ei hŵyr a'i hwyres? Gwyddai Cledwyn mai ef, ac nid Siân, oedd wedi gwneud y penderfyniad i fynd i Grug hebddi, a theimlodd euogrwydd yn ei lenwi.

Y tro diwethaf iddyn nhw fod yma yng Nghrug, roedd Cledwyn wedi bod mor sicr ei fod o'n gwneud y peth iawn, ond y tro hwn doedd o ddim mor siŵr. Wynebu peryglon, teimlo ofn mawr, gorfod cysgu ar loriau caled, oer fel yr un yma ac er mwyn be? I drigolion Crug ei hoffi o? Oedd bod yn boblogaidd wir mor bwysig â hynny?

Doedd hi ddim yn hawdd cysgu ar graig oer, a phan ddeffrodd Cledwyn yn y bore, roedd o'n stiff ac yn brifo. Dim ond stribyn tenau o olau oedd yn goleuo'r ogof. Roedd y tân wedi marw yn ystod y nos, ac roedd oerfel fel petai'n dod o'r waliau a'r lloriau ac yn treiddio i fêr ei esgyrn. Edrychodd Cledwyn draw i gyfeiriad Siân a Gili Dŵ, a ddaliai i gysgu, a gwenodd ar Mael, oedd yn dylyfu gên ac yn rhwbio ei lygaid blinedig.

'Wnest titha ddim cysgu'n dda, chwaith,' gwenodd Cledwyn. 'Wn i ddim sut y gwnaethoch chi aros gyhyd mewn ffasiwn le.'

'Chwarae teg i Gili Dŵ,' meddai Mael yn gryg. 'Wnaeth o ddim cwyno.'

'Afgol mawf!' meddai llais bach o ochr y tân. Cododd Gili Dŵ ar ei eistedd. 'Gobeithio wif na fydd ffaid i mi gysgu mewn ffasiwn le byth eto! A minnau wedi af-fef efo steil... O! Bofe da, Cled! Bofe da, Mael! Gawsoch chi gwsg go lew?'

'Naddo,' atebodd Cledwyn. 'Mae hi'n reit

anghyfforddus yma...'

'Ti'n dweud wrtha i!' ebychodd Siân yn gryg, ei llygaid yn dal ynghau. 'Twll o le ydi fa'ma. Diolch byth ein bod ni'n ei heglu hi o 'ma reit handi!'

'Mi fydd ffaid i ni gael bfecwast o fyw fath cyn mynd,' ebe Gili Dŵ yn boenus braidd. 'Ond does gen i ddim byd o gwbl i'w gynnig. Dim dŵf hyd yn oed!'

'Well i ni gychwyn cyn gynted â phosib felly,' meddai Mael yn benderfynol, gan godi ar ei draed.

'Dal dy ddŵr!' crawciodd Siân. 'Newydd ddeffro ydan ni!'

'Does fawr o bwynt dili dalian. Gorau po gynta y gwnawn ni ddechrau, a...'

'Ocê, ocê,' ochneidiodd Siân gan godi ar ei thraed yn drwsgl.

'Feit... Mael, wyt ti'n gwybod i le 'dan ni'n mynd?' holodd Gili Dŵ wrth stwffio'r sachau budron i fag lledr. 'Achos does gen i ddim syniad lle fydan ni.'

'Tydw i ddim yn gwybod yn union sut mae cyrraedd cartref Mina, ond maen nhw'n dweud ei bod hi'n byw rhywle yn ymyl tarddiad afon Las. Dwi'n gwybod lle mae'r afon, tydi o ddim mwy na rhyw awr o'r fan hyn. Felly mi ddylai fod yn hawdd dilyn yr afon i ddod o hyd i'w chartre.'

'Ond mi allai fod yn ddyddiau o gerdded nes dod i darddiad yr afon,' cwynodd Siân.

'Annhebygol iawn. Mae'r afon yn gul iawn yma. Dwi'n gobeithio y byddan ni yno erbyn y nos.'

'*Gobeithio*? Ond be os...?'

'Siân,' meddai Cledwyn yn dawel. '*Plîs*.' Rholiodd Siân ei llygaid, ond rhoddodd y gorau i gwyno.

Cafodd pawb eu dallu braidd gan yr heulwen tu allan. Roedd hi'n braf cael awyr iach yn lle aer myglyd yr ogof. Dilynodd Siân, Cledwyn a Gili Dŵ wrth i Mael lamu'n fedrus dros y creigiau garw. Ymhen dim o amser roedd eu traed yn brifo a chledrau eu dwylo'n goch wrth orfod cydio mewn creigiau rhag iddynt ddisgyn. Ni ddywedodd neb 'run gair wrth neidio, llamu a chamu o'r naill graig i'r llall. Stopiodd Cledwyn er mwyn tynnu ei siwmper drwchus a'i chlymu o gwmpas ei ganol. Roedd o wedi bod yn ddiolchgar iawn o'i chael neithiwr, yn oerfel yr ogof, ond bore 'ma, wrth i'r haul godi'n uwch ac yn uwch, dechreuodd Cledwyn chwysu. Stopiodd Siân i wneud yr un fath â'i brawd, a sylwodd Cledwyn fod chwys yn glynu'n un gyrlen ddu o'i gwallt at ei boch. Bu'n rhaid iddi dynnu ei sbectol, i'w glanhau ar ei llawes, gan fod y chwys yn stemio'r gwydr.

Cyn bo hir, daethant at graig fawr, oedd yn codi'n uwch na'r lleill i gyd. Doedd hi ddim yn hawdd i'w dringo: Roedd yn rhaid cydio yn y rhychau bach yn wyneb y garreg, ond llwyddodd pawb i wneud hynny heb air o gŵyn. Wedi iddo gyrraedd pen y graig, eisteddodd Cledwyn i gael ei wynt ato. Edrychodd dros y graig ar yr olygfa oddi tano.

Bu'n rhaid iddo gyfaddef ei bod hi'n olygfa hyfryd. Tir fflat a gwyrdd, milltiroedd ohono'n ymestyn ymhell, bell hyd at y gorwel. Roedd ambell goeden yn britho'r olygfa, ac adar bach yn hedfan o un i'r llall gan ganu'n llawen. Oddeutu hanner milltir o'r graig, roedd afon fechan yn plethu fel rhuban glas drwy'r gwair. Ochneidiodd Cledwyn yn foddhaus wrth edrych ar yr olygfa hardd, a honno'n ei atgoffa o'r tir gwastad yn yr Affrig a welsai ar y teledu ryw dro. Daeth sŵn yn uchel a phersain i lenwi'r aer – sŵn clychau. Gwenodd Cledwyn wrth edrych o'i gwmpas ar ei ffrindiau, ond na, doedd neb arall yn clywed 'run nodyn.

Byddai Cledwyn wedi amau iddo ddychmygu'r holl beth pe na bai'n dal i glywed y clychau'n canu ambell dro. Dim ond Nain ac yntau oedd yn clywed y tincial persain a lenwai'r awyr o dro i dro, ac roedd Nain yn sicr bod rhyw gysylltiad rhwng y clychau a'i mab, tad Cledwyn a Sian, a fu ar goll ers blynyddoedd. Dywedodd wrth Cledwyn y byddai hi'n clywed y clychau pan fyddai hi ar y trywydd iawn, ac roedd Cledwyn wedi dechrau sylwi ar batrwm tebyg. Gwnâi'r clychau iddo deimlo'n agos iawn at ei dad, ac roedd eu clywed yn gysur mawr iddo.

'Anfafwol,' ebychodd Gili Dŵ, yn fyr ei wynt.

'Hyfryd,' cytunodd Mael.

'A 'run graig i'w gweld yn unman. Grêt!' Sychodd Siân y chwys o'i thalcen â chefn ei llaw.

Roedd hi'n llawer haws dod i lawr o'r graig nag y bu hi i'w dringo, ac ymhen dim, roedd y pedwar cyfaill yn cerdded drwy'r glaswellt uchel tuag at yr afon fechan. Roedd hwyliau Cledwyn yn gwella gyda phob cam, ac fe deimlodd y wefr o fod ar antur unwaith eto. Bu ei feddwl yn llawn ansicrwydd wrth drio cysgu'r noson gynt, ond erbyn hyn, ymddangosai ei bryderon yn ddwl a phitw. Cyflymodd ei gerddediad wrth iddo agosáu at yr afon.

'Afon las,' gwenodd Mael wrth iddyn nhw agosáu at y dŵr.

'Prin y medri di ei galw hi'n afon o gwbl.' Craffodd Siân ar yr afon, oedd oddeutu hanner metr o led. 'Mae hi mor gul!'

'Mae'r dŵr yn anhygoel,' meddai Cledwyn wrth syllu i'r dyfroedd. Er mor glir oedd yr afon, roedd yn las golau, fel petai bwcedaid o liw wedi ei ollwng iddi. Roedd y cerrig ar wely'r afon yn las llachar, ac yn erbyn gwyrddni'r glaswellt, edrychai'r holl olygfa'n brydferth iawn.

'Maen nhw'n dweud ei bod hi'n afon iachus,' meddai Mael yn amheus. 'Mae pobl yn heidio o bob cwr o Grug i gael gwared ar eu poenau drwy nofio ynddi hi. Tydw i ddim yn rhy siŵr am hynny fy hun.'

'Wif yf?' gofynnodd Gili Dŵ yn obeithiol. 'Achos mae gen i glamp o swigen af fy nhfoed... A fefŵca 'fun maint â sosef, bfon...'

'Dim amser, Gili Dŵ,' ysgydwodd Mael ei ben. 'Mae'n rhaid i ni gerdded yn erbyn llif yr afon, a chadw llygaid yn agored am unrhyw le a allai fod yn gartref i Mina.'

'A chadw llygaid yn agored am ginio,' ychwanegodd Siân, gan rwbio'i bol. 'Dwi ar fy nghythlwng.'

Roedd ar Cledwyn eisiau bwyd hefyd, ond er hynny, cododd ei galon wrth iddo gerdded ar lannau'r afon, glaswellt yn siffrwd dan ei draed a'r dŵr yn tincial dros y cerrig. Tywynnai'r haul uwchben, a dechreuodd Siân, Cledwyn, Mael a Gili Dŵ sgwrsio'n braf am hyn a'r llall. Roedd gan Mael lawer o ddiddordeb yn yr hyn a ddigwyddodd i Siân a Cledwyn yng Nghrug y llynedd, yn arbennig yn y Marach.

'Oedden nhw wir yn bwriadu'ch bwyta chi?' gofynnodd mewn syndod. 'Mewn lobsgows?'

'Dim ond Gili Dŵ a finna,' atebodd Cledwyn. 'Roedden nhw wrth eu boddau efo Siân.'

'Ew, hen jadan oedd yf Afianwen yna, hefyd,' synfyfyriodd Gili Dŵ. 'Yn meddwl ei bod hi'n bwysig ac yn ffeoli gweddill y Mafach fel petai hi'n f-fenhines afnyn nhw. Anghofia i byth mof flin aeth hi af ôl gweld ein bod ni wedi dengyd. Mae o'n gwneud i 'ngwaed i fefwi jest yn meddwl am y peth.'

'Be ddigwyddodd ar ôl i chi ddianc, ta?' holodd Mael.

''Dan ni'n meddwl bod y Marach wedi penderfynu newid eu ffyrdd,' gwenodd Siân wrth gofio. 'Mi ddywedodd rhai ohonyn nhw eu bod nhw wedi cael llond bol ar hela a lladd a ballu. Doedd Arianwen *ddim* yn hapus efo nhw!'

'Tybed be sydd wedi digwydd iddyn nhw erbyn hyn?' ebe Cledwyn yn freuddwydiol.

'Toes dim ots gen i be maen nhw'n wneud, cyn belled â'u bod nhw'n cadw'n bell oddi wftha i,' meddai Gili Dŵ yn bendant. 'Dwi'n mynd yn feit nef-fus bob tfo dwi'n gweld ffywun penfelen, wchi.'

Cerddodd Cledwyn drwy'r gwair, heb ddweud gair am yr hyn oedd ar ei feddwl. Wyddai o ddim pam yn union nad oedd o wedi dweud wrth unrhyw un am ei hunllefau dychrynllyd am Arianwen a'r Marach, ond roedd o'n mynnu mai taw pia hi, a'i fod yn well ganddo beidio â rhannu'r delweddau arswydus oedd yn llenwi ei gwsg yn ystod y nos.

Yr un freuddwyd a gâi o bob tro, a theimlai

Cledwyn nerfusrwydd yn cronni yn ei fol wrth feddwl am y peth. Byddai'r freuddwyd yn dechrau mewn coedwig, a Cledwyn yn sefyll ar ei ben ei hun ymysg y bonion praff. Yna, byddai'r Marach yn ymddangos fel byddin o'u cuddfannau y tu ôl i'r bonion hyn, yn ferched tal, penfelen, tlws, ond â'u llygaid gleision yn pefrio yn llawn casineb a malais. Byddent yn symud tuag ato, mewn un cylch mawr dychrynllyd, ambell un yn chwerthin wrth weld yr ofn ar wyneb Cledwyn. Byddai yntau'n cymryd cam yn ôl, ac yn cerdded yn syth i mewn i Arianwen, ei llygaid porffor yn syllu i lawr arno a'i gwên faleisus yn symud yn agosach...

Ac yn y fan honno, bob tro, byddai Cledwyn yn deffro, yn saff yn ei wely yn Aberdyfi, yn swp o chwys a'i galon yn drymio yn erbyn ei byjamas. Mi fyddai'n cymryd amser hir iddo wedi hynny i fynd yn ôl i gysgu, gan fod ei feddwl yn llawn o wefusau tewion y Marach yn cyrlio tuag i fyny gan wenu'n greulon...

Paid â meddwl am y peth, meddyliodd Cledwyn. Mae'n siŵr bod y Marach ymhell, bell i ffwrdd erbyn hyn.

Trodd y sgwrs at Aberdyfi. Roedd Gili Dŵ wrth ei fodd yn clywed am hanesion Cledwyn yn Ysgol Tywyn. 'Mae'f Moi 'ma'n swnio fel hen hogyn iawn.' Mwynhaodd Cledwyn a Siân glywed am Eiry, ei mam. Pasiodd oriau lawer heibio'n gyflym, wrth i'r pedwar hel straeon a thynnu coes a chwerthin.

Roedden nhw'n mwynhau eu hunain gymaint, fel na welson nhw'r ddau ddieithryn tan eu bod nhw'n agos iawn atynt.

'Pobol,' meddai Mael gan bwyntio. Roedd dau

ffigwr yn agosáu – un yn fach a chrwn, a'r llall yn dal ac yn denau.

'Fyddai'n well i ni guddio?' gofynnodd Cledwyn yn frysiog. 'Rhag ofn eu bod nhw'n aelodau o YCH.'

'Dim amser,' meddai Siân, gan graffu ar y ddau. 'Pe baen ni'n cuddio rŵan, bydden nhw'n siŵr o fod yn amheus. A beth bynnag, dwi ddim yn meddwl y bydd y rhain yn achosi fawr o drafferth i ni.'

Roedd Cledwyn yn deall yn iawn beth oedd ei chwaer yn ei olygu. Wrth i'r ddau ddieithryn agosáu, arafodd calon Cledwyn a dechreuodd ymlacio. Doedd y pâr ddim yn edrych yn beryglus o gwbl. Roedd y fenyw yn grwn fel afal a'i bochau'n goch a chwyslyd. Gwisgai ffedog wen dros ffrog frown ddi-lun, a glynai ei gwallt golau at ei thalcen o dan het wellt flêr. Roedd y gŵr wrth ei hymyl yn blaen, yn dal ac yn llwyd. Gwisgai grys gwyn a throwsus llwyd, ac edrychai ei wyneb main yn flinedig. Gwrandawodd Cledwyn ar eu sgwrs wrth iddyn nhw nesáu.

'... Ac mi ydw i wedi dweud, 'yn do, Derfel, dro ar ôl tro. Mae'n RHAID i ti dorri ewinedd dy draed.' Ysgydwodd y wraig ei bys yn flin. 'Achos maen nhw'n mynd mor finiog, nes eu bod nhw'n torri tyllau yn dy sana di. A phwy, meddet ti, sy'n cael y joban o drwsio'r sana wedyn?'

'Ti, Luned,' atebodd y gŵr mewn llais undonog.

'Mi ddweda i wrthot ti pwy... Fi! Ac mi ddweda i rywbeth arall wrthat ti... Esgob annwyl!' Edrychodd y wraig i fyny ar Siân, Cledwyn, Mael a Gili Dŵ. 'Ydi rhieni'r rhain heb eu dysgu ei bod hi'n ddigywilydd i syllu ar bobol? Rŵan, cau dy geg, Derfel, mi wna i'r siarad.'

Nodiodd Derfel yn fud, heb fwriad yn y byd o yngan gair.

'Helô,' mentrodd Siân, wrth i Luned a Derfel agosáu.

'S'mae? Luned ydw i, a Derfel ydi'r hen linyn trôns yma fa'ma.' Rhoddodd Derfel wên fach dwp a chodi llaw. 'Coeliwch neu beidio, roedd o'n un reit olygus pan briodon ni. Sbiwch arno fo rŵan! Ond dyna fo, fy mai i ydi o mae'n siŵr am fod yn ddigon gwirion i'w briodi fo. Pwy 'dach chi, felly? I le dach chi'n mynd?'

Roedd Siân ar fin dweud rhywbeth pan atebodd Mael ar ran pawb. 'Siwan ydi hon, a dyma Maldwyn.' Pwyntiodd at Cled. 'Wil ydi'r creadur bach yn fan'cw, a Mei ydw inna.'

Craffodd Luned ar Mael am amser hir, cyn edych i ffwrdd fel pe bai o'n ddim byd mwy na darn o faw. Tywyllodd y llinellau ysgafn ar wyneb Mael, a sylweddolodd Cledwyn ei fod yn gwrido.

'Ia wif,' meddai Gili Dŵ, gan ymuno yn y twyll. 'Wil ydw i. Ac fydan ni'n mynd i... ym... wel...'

'Ar ein gwyliau,' atebodd Cledwyn yn frysiog.

'Ia, wel, braf ar rai.' Ochneidiodd Luned yn ddiamynedd. 'Dim pawb ohonon ni sgin amser i ddili dalian.'

'I le 'dach chi'n mynd, ta?' gofynnodd Siân.

'I helpu'r achos, wrth gwrs.' Edrychodd Luned

o'i chwmpas cyn pwyso'n agosach at Siân a dweud mewn llais tawel, 'Rydan ni wedi clywed am bobol ddieithr yn dod yma i Grug o'r byd arall. Cannoedd ar gannoedd ohonyn nhw, yn ein hel ni o'n cartrefi, eisiau cymryd drosodd, eisiau newid ein ffyrdd ni o fyw. Cyn i chi droi rownd, fydd 'na fawr o wahaniaeth rhyngon ni a nhw, a thâl hynny ddim.'

Syllodd Cledwyn a Siân ar ei gilydd. Roedd hi'n amlwg bod mudiad YCH wedi bod yn brysur iawn yn lledaenu celwydd ac ofn.

'Dwi'n synnu dim eich bod chi wedi cael ffasiwn syndod.' Ysgydwodd Luned ei phen. 'Mae'r peth yn ddychrynllyd. Dyna pam mae Derfel a finnau'n mynd i gyfeiriad y trefi. Mi fydd hi'n saffach yn fan'no nag y bydd hi yn ein tyddyn bach ni yng nghanol y wlad. Ew, mae gen i syniad. Pam na wnewch chi ymuno â ni?'

Edrychodd Siân, Cledwyn a Gili Dŵ ar ei gilydd am ychydig, heb syniad yn y byd sut roedd ateb y cwestiwn. Yn ffodus, roedd gan Mael feddwl chwim.

'Diolch i chi, ond dwi'n meddwl y gwnawn ni barhau â'n gwyliau. Rhywdro eto, efallai.'

'O, wel,' meddai Luned gan ysgwyd ei phen unwaith eto. 'Rhyngddoch chi a'ch pethau. Os cewch chi'ch dal gan y gelyn a'ch rhostio fel cibab, nid fy mai i fydd o. Mi gawsoch chi'ch rhybuddio.'

'Do, diolch. Fel dwedais i...'

'Ia, ia, toes gen i ddim amser i falu awyr. Derfel, helpa fi i groesi'r afon 'ma, wnei di?'

'Iawn, Luned,' atebodd Derfel mewn llais undonog.

'Os croesa i gynta, wedyn mi wna i estyn fy llaw a...'

'Haleliwia! Help llaw ofynnais i amdano fo, yntê, nid darlith. Mae'r Derfel 'ma'n siarad, siarad a siarad... prin yn cau ei geg a dweud y gwir!'

Ar ôl cyrraedd ochr arall yr afon, trodd Luned yn ôl. 'Cofiwch chi, rŵan. Mae hi'n saffach yn y trefi. Peidiwch aros yn rhy hir yng nghanol nunlla.'

Diolchodd pawb iddi, a gwylio wrth i'r pâr od ymbellhau, Luned yn parablu'n ddi-stop a Derfel yn nodio'n fud.

''Na chdi griw od,' meddai Luned, fel petai Cledwyn a'i ffrindiau'n methu ei chlywed. 'Yn mynd ar eu gwyliau, o bob dim! La-di-da, dyna i chi grand... Hen lol. Nhw fydd y cynta i gael eu llowcio gan bobol y byd arall, gei di weld...'

'Dyna chi wedi cyfarfod eich gelynion cynta,' meddai Mael wedi i Luned a Derfel gerdded yn rhy bell i'w glywed.

'Mae arnyn nhw wir ofn pobol ein byd ni, on'd oes?' holodd Cledwyn yn syn.

'Wel, mae o'n feit ddealladwy pan fydach chi'n meddwl am y peth, yn tydi? Sut basech chi'n teimlo pe bai dieithrfiaid yn dod i'ch byd chi?'

'Mae hynny'n wir,' cytunodd Cledwyn, gan gofio'r ffilm roedd o wedi ei gweld yn Sinema Tywyn am estroniaid o'r gofod yn glanio ar y ddaear.

'Ond mae o'n hollol ddwl,' cwynodd Siân. 'Tydan ni ddim eisiau cymryd drosodd, dwyn cartrefi neb, na newid dim. A dim ond dau ohonon ni sydd yma, nid cannoedd ar gannoedd fel roedd Luned yn ei awgrymu!'

'Mae'n amlwg bod YCH wedi bod yn brysur yn codi ofn ar bawb, ac maen nhw'n coelio pob gair! Rŵan, dewch wir,' meddai Mael yn rhesymol. 'Gorau po gynta y gwnawn ni ddod o hyd i Mina.'

Cerddodd y pedwar yn eu blaenau, heb sgwrsio. Ceisiodd Cledwyn ganolbwyntio ar ddychmygu sut un y byddai Mina, ond roedd ei feddwl yn mynnu crwydro 'nôl at Luned a Derfel. Os oedd y ddau yna, yn byw yng nghanol y wlad, wedi clywed am YCH, roedd hi'n amlwg ei bod hi'n ymgyrch go gref. Roedd Cledwyn wedi gobeithio mai dim ond yn Abermorddu roedd YCH wedi bod yn lledaenu ofn a chelwydd, ond roedd hi'n amlwg yn fwy difrifol nag roedden nhw wedi ei hystyried. Wrth edrych ar Siân, roedd hi'n amlwg o'r olwg boenus oedd ar ei wyneb ei bod hithau'n meddwl yr un fath. Byseddodd Cledwyn ei oriawr, fel y gwnâi bob tro roedd o'n nerfus.

Ar ôl ychydig mwy o gerdded, culhaodd yr afon nes nad oedd ond llinyn tenau o ddŵr glas yn codi o'r tir. Edrychodd Cledwyn o'i gwmpas. Doedd dim byd yno ond ambell goeden, a milltiroedd ar filltiroedd o laswellt.

'Wel?' holodd Siân gan lygadu Mael. 'Lle ma'r Mina 'ma ta?'

'Mae'n rhaid bod 'na gliw yn rhywle.' Edrychodd Mael yn ofalus ar lannau'r afon.

'Tydi hi ddim yma!' meddai Gili Dŵ yn ysgafn. 'O wel! Mi fydd ffaid i ni feddwl am ffofdd afall o gfoesi'f môf i Abefmofddu.'

'Paid ag ildio mor hawdd,' dwrdiodd Mael. 'Rydan ni'n siŵr o ddod o hyd iddi!'

'Tydw i ddim yn siŵr bod Gili Dŵ eisiau dod o hyd iddi,' sylwodd Cledwyn, gan edrych ar wyneb bach petrus Gili Dŵ.

'Wel, *mae* hi'n wfach, wedi'f cyfan! A dydw i ddim yn sôn am y math o wfachod sydd yn eich byd chi, chwaith, efo'u hetiau pig a'u hysgubau llawf. Mae'f gwfachod yng Nghfug yn wifioneddol ddychfynllyd!'

Gyda hynny, rhoddodd Siân sgrech fach, ac am eiliad, roedd Cledwyn yn methu deall pam roedd ei chwaer wedi aflonyddu. Yna, wrth ddilyn ei llygaid llydan, ebychodd yntau mewn syndod.

Blodau. Cannoedd ohonynt, yn tyfu o'r ddaear mewn eiliadau, yn union fel y gwnaeth y coed ar y traeth yn Aberdyfi. Blodau o bob lliw a llun, blodau a lenwai'r awyr â'u peraroglau melys. O fewn ychydig, safai'r pedwar cyfaill mewn cylch o flodau hardd.

'O, maen nhw'n hyfryd!' meddai Cledwyn wrth edrych o'i gwmpas. Fyddai o ddim yn meddwl rhyw lawer am flodau fel arfer, ond yn awr, wrth weld y casgliad hyfryd o'i gwmpas, sylweddolodd mor dlws oedd pob un, a'u hwynebau bach o betalau meddal yn wynebu'r haul.

'Tydw i ddim mof siŵf,' atebodd Gili Dŵ mewn llais crynedig. 'Mae hwn yn bendant yn ffywbeth i'w wneud efo'f wfach...'

'Sbia ar yr holl liwia!' Suddodd Siân i'w chwrcwd a chraffodd ar flodyn porffor wrth ei thraed. 'Welis i erioed y ffasiwn beth yn fy myw.'

'Edrychwch ar hyn,' plygodd Mael ac estyn am rywbeth rhwng y blodau. Darn o bapur, a'r rhuban o'i gwmpas yn ddu fel y nos. Datglymodd Mael y rhuban, a sythu'r papur. Wedi iddo ddarllen y geiriau a ysgrifennwyd arno, dangosodd y papur i bawb arall fel y medren nhw ei ddarllen.

Os am weld y wrach, rhaid pigo'r blodyn cywir.

'Be?' holodd Siân mewn anobaith. 'Mae'n rhaid i ni bigo un blodyn? Allan o'r cannoedd sydd yma?'

'Waeth i ni heb,' llefodd Gili Dŵ. 'Waeth i ni fynd o 'ma fŵan hyn!'

Llyncodd Cledwyn. 'Tydi o ddim yn dweud be fydd yn digwydd i ni os gwnawn ni ddewis y blodyn anghywir.'

'Gwaith gwfach ydi hwn, Cled. Mi fyddan ni'n cael ein llafpio, siŵf i ti.'

'Mae'n rhaid i ni drio,' mynnodd Mael.

Dechreuodd pawb edrych o gwmpas eu traed ar y blodau bach, gan drio chwilio am un oedd yn edrych yn wahanol iawn i'r lleill. Roedd hi'n dasg amhosib, ac ymhen dim o dro, drysodd meddwl Cledwyn wrth i'r lliwiau oll gymysgu'n enfys yn ei ben. Doedd ganddo ddim syniad am yr hyn roedd o'n chwilio amdano.

'Be am hwn?' gofynnodd Siân, a throdd Cledwyn i'w gweld hi'n craffu ar flodyn bychan, a lliw gwahanol i bob un o'i betalau. Roedd o'n flodyn hardd, ond roedd Cledwyn yn meddwl ei fod e'n rhy lliwgar, rhywsut: roedd yn well ganddo'r blodau unlliw.

'Waeth i ni drio ddim,' meddai Mael, er ei fod o'n edrych yn amheus. 'Ond falle y byddai hi'n well syniad i ni bigo un yr un. Mae hi'n fwy tebygol y byddan ni'n llwyddo felly.'

Aeth yr helfa yn ei blaen. Dewisodd Gili Dŵ flodyn pinc llachar, ac iddo goes biws.

'Dwi am ddewis hwn,' penderfynodd Mael, wrth bwyntio at flodyn hollol ddu wrth ei draed. Roedd ei betalau'n fawr a sidanaidd, yn disgleirio o dan yr heulwen. 'Wyt ti wedi dewis, Cled?'

Ysgydwodd Cledwyn ei ben, gan ddal i edrych o'i gwmpas mewn anobaith. Roedd dewis y blodyn iawn mor bwysig, ac eto, teimlai bod yn rhaid iddo frysio gan fod pawb yn aros amdano. Bu bron iddo benderfynu dewis y blodyn nesaf a welai, pan arhosodd ei lygaid ar un blodyn bach a edrychai mor wahanol i'r gweddill. Chwyddodd ei galon mewn sicrwydd a chyffro.

'Dyma'r un,' meddai, gan suddo ar ei liniau a chyffwrdd yn y blodyn yn dyner.

'Blodyn pi-pi yn y gwely!' meddai Gili Dŵ gan ysgwyd ei ben. 'Dwyt ti ddim isio pigo hwnna, Cled, neu mi fyddi di'n siŵf o wlychu dy wely heno 'ma.'

Rholiodd Siân ei llygaid. 'Dant y llew ydi enw go iawn y blodyn, Gili Dŵ, a hen lol ydi'r stori ei bod hi'n gwneud i ti wlychu dy wely. Ond pam dewis y blodyn 'na, Cled? Chwyn ydi o, wedi'r cyfan... Mae 'na filoedd ohonyn nhw i'w cael yn Aberdyfi, ac mae pawb yn trio cael gwared arnyn nhw.'

'Yn union,' atebodd Cledwyn yn bendant. 'Mae'r blodau eraill i gyd yn rhy berffaith, yn rhy llachar eu lliw. Maen nhw'n debyg i flodau byddai plentyn bach yn eu dyfeisio mewn llun. Ond mae'r dant y llew yma'n flodyn go iawn, ac er mai chwyn ydi o, mae o'n dlws, 'yn tydi?'

Bu tawelwch am ychydig eiliadau, cyn i Siân ddweud, 'Mae Cled yn iawn. Dyna'r blodyn mwyaf unigryw sydd yma, yntê?'

''Dan ni'n gytun felly,' meddai Mael. Mi gaiff Cled bigo'i flodyn yn gyntaf. Wedyn, os ydi o wedi dewis yr un anghywir, mi gaiff Siân wneud, wedyn fi, ac yna Gili Dŵ.'

'Fydd dim rhaid i ni bigo'n blodau,' gwenodd Siân ar ei brawd. 'Mae Cled wedi dewis yr un iawn.'

'Sut medru di fod mor siŵr?' gofynnodd Cledwyn yn nerfus.

'Tyd 'laen, Cled! Rwyt ti'n grêt am wneud pethau fel hyn! Mae gen ti ryw synnwyr ychwanegol, 'yn does, yn union fel 'sgin Nain. Yr holl fusnes clywed y clychau 'ma! Mi fedri di lwyddo, Cled, dwi'n siŵr o hynny.'

Llyncodd Cledwyn ei boer, cyn gafael yng nghoes y blodyn. Roedd geiriau ei chwaer wedi rhoi hyder iddo, ond daliai ei feddwl i grwydro at yr hyn fyddai'n digwydd petai o wedi dewis y blodyn anghywir.

Gydag un plwc sydyn, torrodd Cledwyn goes dant y llew, a chododd ar ei draed. Gallai glywed curiad ei galon yn uchel.

Am ennyd, safodd y pedwar yng nghanol y blodau, yn aros i rywbeth ddigwydd. Doedd dim ond sŵn y pryfaid a thincial y nant i dorri ar y tawelwch.

'Am lwyth o...' dechreuodd Gili Dŵ, ond fe dorrwyd ar draws ei eiriau gan riddfan isel o gyfeiriad Cledwyn. Trodd pawb i edrych arno mewn difrif.

Roedd o'r teimlad mwyaf dychrynllyd a brofodd Cledwyn erioed. Teimlad fel petai'r ddaear yn sugno'r holl ddaioni o'i gorff trwy ei draed, fel petai'r holl waed o'i gorff yn cael ei golli yn y gwair a'r pridd o dan ei draed. Ceisiodd symud, ond roedd ei draed yn sownd. Fedrai o ddim eu tynnu nhw o'i sgidiau hyd yn oed.

'Be sy, Cled?' gofynnodd Siân mewn braw, ond nid atebodd Cledwyn. Tynnodd goesau ei jîns i fyny at ei bengliniau, a throdd ei stumog wrth weld yr olwg oedd ar ei goesau. Yn raddol bach, roedd y cig, y braster, a'r cyhyrau yn cael eu sugno o'i goesau, gan adael esgyrn main mewn croen crychlyd. Welodd Cledwyn ddim byd mor afiach yn ei fywyd, a chwympodd mewn braw.

'Mi ddewisais i'r un anghywir,' tagodd Cledwyn, wrth deimlo, ar yr un pryd, ddaioni'n cael ei sugno'n araf o'i goesau. 'Mae'n rhaid i chi ddewis eich blodau chi.' Mae'r... mae'r peth yma'n symud i fyny 'nghoesa i.'

'Cled!' ebychodd Gili Dŵ mewn braw.

'Tyrd, Siân,' gorchmynnodd Cledwyn mewn llais sigledig. 'Neu fydda i'n ddim byd ond croen ac esgyrn!'

Edrychodd Cledwyn ar ei chwaer yn penlinio wrth ei blodyn, ei hwyneb yn welw a'i llaw'n crynu wrth weld ei brawd bach mewn cyflwr mor ofnadwy. Bu'n rhaid iddi ddefnyddio'i llaw arall i sadio'i bysedd, cyn pigo'r blodyn amryliw.

Doedd dim angen aros y tro hwn. Daeth bloedd Siân ymhen eiliadau. 'Mae o'n sugno trwy fy nhraed i. Mae o'n mynd i fy lladd i!'

Dechreuodd Cledwyn deimlo'n benysgafn wrth

deimlo'r gwaed yn diflannu o dop ei goesau.

Trodd Mael yn syth at ei flodyn du, a thynnu arno'n frysiog. Doedd gan Cledwyn mo'r nerth i edrych arno, ond gallai weld ei draed. Ymhen dim o dro, gwelodd Cledwyn y blodyn yn syrthio i'r gwair, ac yna, mewn eiliadau, y cnawd ar ei draed noeth fel petai'n gwywo.

'Gili Dŵ,' meddai Cledwyn yn dawel. 'Dy dro di, Gili Dŵ.'

Gallai Cledwyn deimlo'r daioni yn dechrau cael ei sugno o waelod ei fol, a gwyddai y byddai'n cyrraedd ei organau cyn hir. Pa mor hir y gall rhywun fyw, meddyliodd yn dawel, heb iau, nac arennau, na stumog? Dychmygodd y drwg yn cyrraedd ei galon, a'i ymennydd, a meddyliodd mor ddychrynllyd fyddai ei wyneb yn edrych heb gig na gwaed arno, a'r croen yn hongian oddi ar ei ben yn llipa a chrychiog.

Gwelodd, drwy gornel ei lygaid, Gili Dŵ yn pigo'i flodyn pinc gorlachar, a gyda hynny, syrthiodd Cledwyn i drwmgwsg anymwybodol. Y peth olaf a wibiodd drwy ei feddwl oedd y syniad ei bod mor annheg marw fel hyn, ymhell oddi wrth ei nain a'i rieni ac yntau â chymaint i'w brofi mewn bywyd.

'Mae o'n deffro!' Clywodd Cledwyn lais ei chwaer yn torri trwy ei freuddwydion. Teimlodd ei dwylo ar ei ysgwyddau, yn ei ysgwyd yn ysgafn. 'Cled! Cled!'

Agorodd Cledwyn un llygad, cyn ei chau drachefn wrth gael ei ddallu gan yr haul llachar. Ceisiodd feddwl beth yn y byd roedd o'n ei wneud yma, ond fedrai o gofio dim, heblaw am gylch o flodau lliwgar.

'Haleliwia,' clywodd Cledwyn lais cyfarwydd yn ei ymyl. 'Fo'n i'n siŵf ei fod o wedi cicio'f bwced. Ond mi fwyt ti'n iawn, Siân, mae o'n deffro.'

Chwarddodd Cledwyn yn ysgafn wrth glywed llais digri Gili Dŵ, ac agorodd ei lygaid unwaith eto. Cymerodd ychydig eiliadau i'w lygaid arfer â'r haul, ac yn araf, daeth Cledwyn i adnabod y tri ffigwr oedd yn pwyso drosto.

'Ydw i'n fyw?'

Chwarddodd Siân, ac ymestyn tuag ato i'w gofleidio. Pan dynnodd hi'n ôl, gwelodd Cledwyn ddagrau yn ei llygaid. 'Roeddan ni'n meddwl dy fod ti wedi marw, Cled! Roedd 'na olwg mor ofnadwy arnat ti!'

'Be ddigwyddodd?' Cododd Cledwyn ar ei eistedd, gan adael i'r atgofion lifo'n ôl i'w feddwl. Cododd goes ei jîns yn sydyn, ac ochneidiodd wrth weld bod ei goesau'n edrych yn union fel y gwnaethon nhw cyn i'r ddaear ddechrau dwyn ei ddaioni.

'Gili Dŵ,' gwenodd Mael. 'Mae'n rhaid dy fod ti wedi dewis y blodyn iawn! Unwaith y gwnest ti bigo'r blodyn pinc, mi deimlodd Siân a finnau'r nerth yn dod yn ôl i'n coesau. Roeddat ti, Cledwyn yn anymwybodol erbyn hynny, ond rwyt ti'n edrych yn llawer gwell rŵan.'

'Gili Dŵ!' ebychodd Cledwyn, gan fethu cuddio ei syndod. 'Mi wnest ti achub ein bywydau ni.'

'Do,' cytunodd Gili Dŵ gyda gwên, yn edrych fel petai wedi cael sioc mwyaf ei fywyd. 'Fedfa i ddim coelio'f peth.'

Chwyrlïodd meddwl Cledwyn wrth dderbyn y

wybodaeth newydd yma. Roedd o wedi bod mor sicr mai fo oedd yn iawn, wedi ennill ffydd cyfan gwbl yn ei allu ei hun, ac roedd o wedi methu. Credai fel Siân, ei fod o'n meddu ar rhyw allu arbennig mewn sefyllfaoedd fel hyn, ond roedd o'n amlwg wedi camgymryd. Llyncodd ei siom wrth wneud ei orau i wenu ar Gili Dŵ. Y blodyn pinc fyddai'r un olaf y byddai o wedi ei ddewis.

'A sbia!' pwyntiodd Siân at lecyn nid nepell o'r fan lle gorweddai Cledwyn. Roedd twll mawr wedi ymddangos yn y llawr. 'Mi agorodd hwn, ac mi ddiflannodd y blodau i gyd mewn eiliad. Mae'n rhaid mai twnnel ydi o'n arwain yn syth at Mina.'

'Gwych,' ebychodd Cledwyn yn llawn cyffro, ei afiechyd wedi ei anghofio.

'Ia, gwych,' ategodd Gili Dŵ, heb unrhyw frwdfrydedd.

Yn araf, cododd Cledwyn ar ei draed. Roedd o'n teimlo'n rhyfeddol o gryf, o ystyried iddo fod, ychydig yng nghynt, ar ei gefn ar y gwair yn hanner marw. Troediodd yn araf at geg y twnnel yn y gwair. Doedd fawr ddim i'w weld, heblaw am hen ysgol rydlyd â mwsogl yn tyfu drosti, yn arwain i lawr i'r düwch.

'Gwfandewch fŵan,' meddai Gili Dŵ, a'i lais yn grynedig. 'Beth am beidio â gwneud unffyw bendef- fyniad dwl...'

Ond roedd Siân eisoes yn dringo i lawr yr ysgol, a Mael yn ei dilyn. Gwenodd Cledwyn ar ei ffrind bach petrus cyn cydio'n dynn yn yr ysgol a dringo i lawr. Ochneidiodd Gili Dŵ, cyn ei ddilyn.

Roedd yn rhaid cydio'n dynn yn yr ysgol – roedd

y mwsogl yn ei gwneud yn llithrig, a doedd Cledwyn ddim yn teimlo'n saff iawn. Wrth lwc, doedd yr ysgol ddim yn hir, a chyn pen dim roedd yn sefyll gyda'i ffrindiau mewn dŵr llonydd a hwnnw'n cyrraedd at ei ben-gliniau. Gwan iawn oedd y golau, ac roedd y llonyddwch yn ei wneud yn lle eitha dychryllyd. Roedd o'n awyrgylch mor wahanol i'r haul braf yn y gwair uwchben. Safodd pawb am ychydig eiliadau, gan roi cyfle i'w llygaid ddod i arfer â'r tywyllwch.

Doedd dim ond un peth i'w weld. Roedd cerbyd mawr yng nghanol y dŵr, cerbyd crwn â seddi anghyfforddus yr olwg mewn cylch mawr yn ei ganol. Roedd hi'n rhy dywyll i weld a oedd waliau yno, ac roedd y llyn bas o gwmpas eu traed yn hollol lonydd.

'Tydw i DDIM yn licio hyn,' ebe Gili Dŵ mewn llais crynedig. 'Wela i 'fun gwfach yma, felly dowch, mi awn ni 'nôl i fyny'f ysgol, ia?'

'Dwi'n siŵr mai dyma'r ffordd i ddod o hyd i Mina,' meddai Mael yn eitha pendant.

'Wel, wn i ddim amdanoch chi,' ochneidiodd Siân. 'Ond dwi'n meddwl yn well pan fydda i'n isda i lawr.' Dringodd i mewn i'r cerbyd ac eistedd ar un o'r cadeiriau.

'Ffwbath i gael dod allan o'f dŵf 'ma!' meddai Gili Dŵ, gan ei dilyn. Nodiodd Cledwyn ac ymuno â nhw. Roedd y seddi braidd yn wlyb, ond doedd fawr o ots gan Cledwyn – roedd hi'n braf cael ei draed allan o'r dŵr. Dringodd Mael i mewn i'r cerbyd ac eistedd wrth ymyl Siân.

Sylwodd neb i ddechrau, gan fod y symudiad

mor bitw. Ond ar ôl ychydig, clywodd Cledwyn sŵn dŵr yn sisial o'u hamgylch. Edrychodd dros ochr y cerbyd, heb allu gweld dim byd yn y tywyllwch.

'Be sy'n digwydd?' gofynnodd yn syn.

'Mi ddweda i wfthot ti be sy'n digwydd,' meddai Gili Dŵ yn llawn ofn. 'Fydan ni'n symud!'

PENNOD 4

'Dwi isio mynd o 'ma. Gadewch fi allan,' ebychodd Gili Dŵ gan godi ar ei draed yn y cerbyd. Nid oedd unrhyw un yn gwrando arno gan fod pawb yn rhy brysur yn canolbwyntio ar ddal eu gafael yn dynn yn ochrau'r cerbyd, a hwnnw'n cyflymu erbyn hyn. Roedd hi mor dywyll, doedd dim posib gweld i ble roedden nhw'n mynd.

'Plîs,' erfyniodd Gili Dŵ mewn llais bach ofnus. 'Gadewch fi allan.'

'Stedda i lawr, Gili Dŵ.' Cododd Siân ei llais yn uwch na sŵn y dŵr yn byrlymu o'u cwmpas. 'Eistedda cyn i ti gwympo.'

Dechreuodd y cerbyd siglo o'r naill ochr i'r llall, yn araf i ddechrau ac yna'n gyflym, Roedd sŵn y dŵr mor uchel erbyn hyn, nes i Cledwyn gredu eu bod nhw'n symud dros afon fawr dymhestlog, ac wrth edrych drwy ochr y cerbyd, gallai weld yr ewyn gwyn ar wyneb y dŵr, yn rhubanau bach o oleuni yng nghanol y tywyllwch.

'Daliwch yn dynn!' gwaeddodd Mael uwch rhuo'r dŵr. Ac yn wir, roedd yn rhaid cydio yn ochr y cerbyd â dwy law rhag iddynt gael eu taflu i'r ochr arall.

Daeth y storm i ben yn gyflym a dirybudd, ac wrth i'r tonnau ostegu dechreuodd y cwch sadio. Yna unwaith eto roedd y cerbyd yn hwylio'n araf trwy'r twnnel tuag at olau mawr glas.

'Byth eto. BYTH ETO.' Sychodd Gili Dŵ y chwys

a'r dŵr oddi ar ei dalcen.

'Mi fyddai unrhyw barc thema gwerth ei halen yn codi ffortiwn am reid fel 'na.' Gwenodd Siân wrth sychu ei sbectol ar ei llawes. Dechreuodd Mael ddweud rhywbeth, ond bu'n rhaid iddo bwyso dros ochr y cerbyd i chwydu. Arafodd y cwch wrth iddo agosáu at y golau glas ym mhen draw'r twnnel, ac wrth iddo symud o'r tywyllwch i mewn i'r goleuni, stopiodd yn stond. Ebychodd Cledwyn gan edrych o'i gwmpas.

Roedd y cerbyd wedi hwylio i mewn i swigen fawr wedi ei gwneud o wydr, ac yn rhyfeddach fyth, roedd hi'n ymddangos bod y swigen o dan y môr. Roedd y golau glas yn dod o ddŵr y môr, ac roedd y lliw llachar hardd bron yn ddigon i'w dallu ar ôl bod yn nhywyllwch y twnnel am gyhyd. Gwelsai Cledwyn ystafell debyg i hon o'r blaen, mewn ystafell ymolchi ym mhalas Eiry, lle roedd y waliau a'r nenfwd fel un tanc pysgod mawr, a physgod bach amryliw yn nofio'n hamddenol o gwmpas. Ond doedd y lle yma ddim mor debyg â hynny, chwaith, meddyliodd Cledwyn wrth graffu i'r dyfnderoedd. Roedd hi'n dywyllach yma, a doedd dim pysgod trofannol i'w gweld, dim ond ambell gysgod tywyll o bysgodyn yn stelcian ar wely'r môr. Wrth edrych i fyny, gellid gweld yr haul yn tywynnu ymhell uwchben y dŵr. Dim ond un peth lliwgar oedd yng nghanol y glesni, ac unwaith i Cledwyn sylwi arni, roedd o'n methu'n lân a thynnu ei lygaid oddi arni.

Y ddynes harddaf a welsai Cledwyn erioed. Roedd hi'n sefyll yng nghanol y llawr, yn syllu arnyn nhw'n ddi-wên, ond doedd dim malais yn ei llygaid gwyrddlas. Roedd hi'n ddynes fawr iawn, bron yn gawres, meddyliodd Cledwyn, yn dal iawn a chanddi freichiau trwchus ac wyneb crwn. Gwisgai ffrog binc a phiws laes syml, ac roedd ganddi wyneb tlws, y gwefusau cochion yn fawr a'r llygaid yn llawn cymeriad. I goroni'r cyfan, roedd ganddi donnau o wallt yn llifo i lawr ei chefn, a hwnnw'n goch fel mefus.

'Be dach chi'n ei wneud yma?' gofynnodd mewn llais sidanaidd ond cadarn.

Safodd Mael ar ei draed, yn edrych yn fwy nerfus nag a welsai Cledwyn ef erioed o'r blaen. 'Mae angen eich help chi arnon ni.'

Craffodd Mina arno'n feddylgar. 'Sut roeddech chi'n gwybod lle roedd dod o hyd i mi?'

'Wel... Ym...'

''Dan ni ddim eisiau styfbio,' meddai Gili Dŵ yn llawn ofn. 'Awn ni o 'ma os liciwch chi.'

'Mi ddewisoch chi'r blodyn cywir?'

'Do, tad! Wel, fi a ddewisodd o a dweud y gwif yn onest. Gobeithio nad oes ots dach chi i ni bigo'ch blodau del chi...'

'Sut roeddech chi'n gwybod pa un i'w bigo?'

Cododd Gili Dŵ ei ysgwyddau'n ddi-glem. 'Mi... Mi ddewisais i'r un oedd ofau gen i.'

Nodiodd Mina, fel petai hyn yn gwneud synnwyr perffaith. 'Pa fath o help sydd ei angen arnoch chi, yn union?'

Ac felly, rhwng Mael a Siân, fe esboniwyd y stori gyfan, pob manylyn bach, a phob digwyddiad mawr.

Roedd Gili Dŵ'n amlwg yn rhy ofnus i gyfrannu, a Cledwyn yn rhy nerfus i agor ei geg. Ar ôl iddynt orffen adrodd yr hanes, bu tawelwch am ychydig eiliadau.

'Ac mi rydych chi am i mi helpu… Sut?'

'Byddai cael eich cefnogaeth chi'n golygu llawer i ni,' meddai Mael, ychydig yn llai nerfus erbyn hyn. 'Ond, i fod yn fwy manwl, rydan ni'n bwriadu hwylio i Abermorddu, ac mi rydw i wedi clywed bod dach chi long gadarn.'

Ochneidiodd Mina. 'Rydach chi eisiau benthyg fy llong i, i chi gael hwylio i ganol pobol sy'n eich casáu chi? A minnau ddim yn eich adnabod chi?'

Roedd Cledwyn yn cytuno bod hyn yn llawer iawn i'w ofyn gan Mina, ond nodiodd Mael yn bendant a phenderfynol.

'A be os mai dweud celwydd ydach chi? Be os mai mudiad YCH sy'n iawn, a'ch bod chi'n bwriadu cymryd drosodd? Efallai mai dweud celwydd ydych chi er mwyn cael defnyddio fy llong.

Ochneidiodd Siân. 'Fedrwn ni ddim profi hynny i chi, wrth gwrs… Ond rydan ni'n rhoi ein gair, os ydi hynny'n golygu unrhyw beth i chi.'

Bu saib wrth i Mina ystyried y peth. Crwydrodd ei llygaid mawr gwyrddlas dros Mael, Siân, Gili Dŵ a Cledwyn, gan ochneidio'n araf. Gwridodd Cledwyn wrth i'w llygaid astudio'i wyneb, a byseddodd oriawr mawr ei dad mewn nerfusrwydd. Yna, er mawr syndod a phleser i bawb, gwenodd yn araf, a throdd y wên fawr ei hwyneb o fod yn oeraidd i fod yn garedig a chynnes. Ymestynnodd ei llaw at Mael.

'Mi wna i 'ch helpu chi gymaint ag y galla i,' meddai'n fwyn, a'r holl gadernid wedi gadael ei llais. 'Rŵan, dewch allan o'r hen gerbyd yna. Rydach chi'n socian.'

Dringodd pawb o'r cerbyd fesul un, ac ysgwyd llaw fawr gynnes Mina. Cledwyn oedd yr olaf, a theimlodd ei hun yn cochi wrth i Mina gydio yn ei law. Craffodd ar ei wyneb yn ofalus, gan wneud i stumog Cledwyn neidio mewn nerfusrwydd.

'Cledwyn. Dyna ddywedodd Mael oedd dy enw di yntê?' holodd Mina, a nodiodd Cledwyn heb ddweud gair. 'A thithau wedi byw yn Aberdyfi ar hyd dy oes? Dyna ryfedd. Mae dy wyneb di'n gyfarwydd i mi, er alla i ddim yn fy myw â chofio sut y gallasai hynny fod. Mae'n rhaid 'mod i'n drysu.' Gwenodd arno, a theimlodd Cledwyn ei fol yn corddi wrth iddo drio meddwl am rywbeth clyfar i'w ddweud yn ateb.

'Mae'r lle 'ma'n anhygoel,' meddai Siân gan syllu o'i chwmpas. 'Mae o'n reit dywyll, tydi... Bron na fyddwn i'n disgwyl gweld dau lygad dychrynllyd yn syllu arnon ni o'r cysgodion.'

'Fyddai o ddim y tro cynta i mi weld y ffasiwn beth!' ochneidiodd Mina. 'Mae pob math o greaduriaid yn dod yma i gael sbec arna i. Trwy lwc, mae 'ngartre i wedi ei swyno fel na all yr un creadur dorri drwy'r swigen. Ond maen nhw wedi trio'u gorau, coeliwch chi fi.'

'Wedi'i swyno?' gofynnodd Gili Dŵ yn nerfus. 'Gwrach ydach chi, felly?'

Gwenodd Mina arno. 'Mae rhai yn fy ngalw i'n wrach, mae hynny'n ddigon gwir. Ond mae'n well gen i gael fy ngalw'n ddewines. Mae o'n swnio'n llai milain.'

'Dewines,' ailadroddodd Gili Dŵ gyda rhyddhad. 'Ia, dewines. Fo'n i'n meddwl bod 'dach chi ofmod o steil i fod yn wfach. Mae'r ffeiny'n tueddu gwisgo du i gyd, sy'n gwneud i gfoen ffywun edfych yn ofnadwy o lwydaidd. A hedfan o gwmpas af hen ysgub, yn lle cefdded fel pawb afall – ef, mi glywais i am wfach oedd am fod yn tfendi, ac mi foedd hi'n hedfan o gwmpas af gefn hŵfyf, wif i chi!'

Gwenodd Mina. 'Wel, toes gen i 'run hŵfyr, ac mae fy ysgub i'n cael ei defnyddio i sgubo'r llawr! Rŵan, dwi am fynd â chi i 'nghartre i... Dilynwch fi.'

Roedd twnnel bach yn arwain o'r swigen, ond gan fod hwnnw hefyd wedi ei wneud o wydr, doedd Cledwyn ddim wedi sylwi arno o'r blaen. Arweiniodd Mina'r ffordd a dilynodd pawb ei phen cringoch, gan gerdded am ddeng munud a mwy ar hyd y twnnel tanddwr. Roedd hi'n brofiad od iawn, cerdded ar wely'r môr heb deimlo'n wlyb, a'r dŵr o'u cwmpas ymhob man. Ar ôl ychydig, cyrhaeddodd y pedwar risiau serth a'r rheiny hefyd wedi eu gwneud o wydr clir. Gan ddilyn Mina, dringodd Cledwyn drwy dwll mawr tywyll ar ben y grisiau.

Daeth Mina â nhw i dŷ! Roedd y twll y dringodd Cledwyn allan ohono'n ddrws bach yng nghanol y llawr, a chaeodd Mina'r drws bach hwnnw ar eu holau. Roedd y tŷ yn bren i gyd, â bwrdd mawr a lle tân ar un ochr iddo, a gwely mawr cyfforddus ar yr ochr arall. Roedd dwy soffa fawr felen yn y canol, a silff fawr yn rhedeg ar hyd yr ystafell, gydag ambell lyfr a darn o froc môr yn gorffwys arno. Roedd o'n dŷ digon cyffredin, meddyliodd Cledwyn, cyn iddo syllu allan drwy'r ffenestri, a syllu ar yr olygfa'n gegrwth.

Roedd cartref Mina yn arnofio ar wyneb y môr!

Doedd dim tir i'w weld, dim ond milltiroedd o fôr tawel. Roedd o'n lle heddychlon iawn, ond yn ddychrynllyd o unig. Er cymaint roedd o'n hoffi'r môr, penderfynodd Cledwyn na fyddai o byth am fyw mewn man mor anghysbell â hyn.

'Edrychwch!' Agorodd Mina ddrysau'r tŷ a gwelodd Cledwyn fod platfform pren yn arwain yr holl ffordd o'i gwmpas, fel ei bod hi'n bosib cerdded o amgylch y tŷ, neu eistedd y tu allan uwchben dŵr y môr. Camodd allan a syllu ar yr awyr a'r môr, y ddau'n llwydlas fel petai ar fin bwrw glaw.

'Dydi o ddim yn arnofio i wahanol lefydd?' holodd Siân yn syn.

Ysgydwodd Mina ei phen. 'Mae o wedi'i swyno i aros yn yr unfan. Mae'n rhaid iddo aros yma er mwyn i mi allu mynd i lawr i'r swigen wydr pan fydd angen.'

'Mae'f tŷ yma'n llawef mwy clyd na'f hen swigen dywyll yna,' sylwodd Gili Dŵ. 'Fyddwn i ddim yn tfeulio fawf o amsef yn y dyfndefoedd taswn i'n byw yn y tŷ yma.'

'Mae'r swigen wydr yn gysur mawr mewn storm,' ebe Mina. 'Ambell noson, mae'r tywydd yn torri drwy'r drws a'r ffenestri ac yn golchi fy mhethau i ffwrdd. Mi fyddai'n beryglus iawn i mi aros yma ar noson fel yna, ac felly bydda i'n ymochel yn fy swigen wydr. Mae'n beth od iawn, wyddoch chi, waeth pa mor dymhestlog ydi hi ar wyneb y dŵr, mae hi wastad yn llonydd a heddychlon ar wely'r môr.'

Ceisiodd Cledwyn ddychmygu fod yma ar ffasiwn noson. Mi fyddai'n ddychrynllyd iawn, heb unrhyw warchodfa rhag y storm. Roedd y stormydd yn Aberdyfi'n ddigon gwael, gyda'r gwynt yn rhuo yn erbyn y ffenestri a'r tonnau'n ymosod ar yr harbwr. Ond o leiaf byddai wal drwchus rhyngddo ef a'r storm yr adeg honno. Yn y fan hon dim ond wal bren denau fyddai'n gwarchod Mina rhag y dwndwr.

'Dydych chi ddim yn unig yma ar eich pen eich hun, Mina?' holodd Siân, gan syllu allan dros filltiroedd diddiwedd y môr.

'Tydw i ddim ar fy mhen fy hun yn aml. Mae 'na fôr-forynion yn galw weithiau, ac mae'r dŵr yma'n llawn creaduriaid yn hapus i stopio am sgwrs.'

'Ond does dach chi ddim ofn y bydd ffai o'r cfeadufiaid yma am wneud niwed i chi?' holodd Gili Dŵ. 'Mae'f môf mof befyglus!'

'Mi ges i chydig o drafferth pan ddes i yma i ddechrau, ond dwi'n meddwl bod pawb wedi deall erbyn hyn nad ydw i'n un i ddiodde unrhyw lol. Ymddiheuriadau, gyda llaw, am fod mor oeraidd pan welais i chi gynta oll. Mae'n rhaid i mi fod yn oeraidd gyda dieithriaid, neu mi fyddan nhw'n siŵr o gymryd mantais, neu feddwl 'mod i'n wan.'

'Ydych chi'n cael lot o ymwelwyr?' holodd Siân.

Ysgydwodd Mina'i phen. 'Tydw i ddim yn meddwl bod llawer yn gwybod lle ydw i, nac ychwaith yn siŵr a ydw i'n bod go iawn hyd yn oed. Mi ges i dipyn o sioc i'ch gweld chi, a dweud y gwir!' Gwenodd Mina.

'Sut roeddech chi'n gwybod sut i ddod o hyd i mi?'

'Mae llawer o sôn amdanoch chi yn Abermorddu,' esboniodd Mael. 'Llawer yn dweud eich bod chi'n wrach garedig, yn helpu'r rhai sydd angen cymorth. Ro'n i'n gwybod ei bod hi'n bosib dod o hyd i chi wrth darddiad yr afon las, a diolch wedyn i Gili Dŵ am ddewis y blodyn iawn.'

Nodiodd Siân. 'Mae'n siŵr bod llawer o bobol wedi chwilio amdanoch chi, ac wedi methu dod o hyd i chi.'

Daeth golwg feddylgar dros wyneb Mina am eiliad, cyn iddi droi 'nôl atynt a gwenu. 'Dewch i mewn ac eisteddwch. Mi wna i fymryn o swper.'

Roedd un soffa'n ddigon mawr i Siân, Cledwyn, Gili Dŵ a Mael eistedd arni'n gyfforddus, a gwyliodd y pedwar wrth i Mina ffrio pum pysgodyn mawr gydag ychydig o fenyn mewn clamp o badell ffrio. Wrth goginio, holodd Mina am Aberdyfi ac am rieni Siân a Cledwyn. Roedd ganddi ddiddordeb mawr mewn clywed am agwedd pobl tuag at y môr.

'Mae'n rhy oer i ymdrochi yn y gaeaf,' esboniodd Cledwyn wrth wylio Mina'n gwasgu sudd lemwn dros y pysgod. 'Er, bydd ambell un yn syrffio. Ond yn yr haf, pan mae hi'n boeth... Wel, mae'r traethau'n llawn.'

'Ac mae pobol yn *mynd i mewn i'r dŵr?* Heb swyn gwarchodol nac arfau na dim?' holodd Mina'n llawn syndod.

'Tydi'r môr ddim mor beryglus yn ein byd ni,' meddai Siân. 'Mae ambell greadur peryglus, ond yr oerfel a'r cerrynt ydi'r problemau mwya.'

'Bobol annwyl,' ebychodd Mina. 'Mae'n rhaid ei fod o'n lle reit wahanol i'r fan hyn, felly. Dwi wedi byw yn y tŷ yma ers blynyddoedd maith ond dwi heb roi pen fy mys yn y dŵr erioed. Fiw i mi. Byddai arogl cnawd dynol yn denu'r creaduriaid mileiniaf i wyneb y dŵr.' Ysgydwodd Mina'i phen. 'Rŵan, dewch at y bwrdd. Mae'r pysgod yn barod.'

Wedi eistedd wrth y bwrdd mawr, cafwyd pryd blasus o bysgod a bara ffres, trwchus. Roedd Mina'n gwmni gwych, ei chwerthiniad yn uchel a llon a'i chroeso'n gwneud i bawb deimlo'n gartrefol a chyfforddus. Methai Cledwyn yn deg â stopio syllu arni. Roedd hi'n anhygoel o hardd. Er, efallai, y câi dynes o'i maint hi ei galw'n dew yn ôl yn Aberdyfi, ond roedd Cledwyn yn methu gweld bai ynddi. Yn ei farn o roedd hi'n odidog. Sylwodd yn sydyn fod Siân yn edrych arno'n gwylio Mina, â gwên fach ar ei hwyneb. Trodd Cledwyn i ffwrdd oddi wrthi gan wrido.

'Dywedwch wrtha i, Mina,' meddai Mael, gan ddifrifoli'n sydyn. 'Be ydach chi'n meddwl am ein cynllun ni o fynd i Abermorddu ac wynebu aelodau YCH?'

Ochneidiodd Mina. 'Rydych chi naill ai'n hollol ynfyd, neu'n ddewr iawn. Ychydig o'r ddau, efallai.'

'Does 'na ddim dewis,' meddai Siân yn bendant. 'Mae'r holl straeon hyll am Cled a finna wedi mynd yn hen ddigon pell. Mae'n bryd rhoi stop arnyn nhw.'

'Os cewch chi gyfle. Mae'n bosib – yn debygol hyd yn oed – y bydd trigolion Abermorddu yn eich lladd chi cyn y cewch gyfle i agor eich cegau.'

'Mae Abermorddu'n lle tawel a heddychlon,'

meddai Mael, yn warchodol o'i gartref. 'Wnân nhw ddim ein lladd ni. Dydyn nhw ddim yn bobol ddrwg.'

'Nac ydyn, ond mae arnyn nhw ofn mawr. Dydyn nhw'n gwybod dim mwy am Siân a Cled na be mae'r hen bobol ddwl o YCH wedi ei ddweud wrthyn nhw. Maen nhw'n teimlo'n wan, yn teimlo bod angen gwarchod eu cartrefi, eu teuluoedd.'

'Mae'n rhaid eu bod nhw'n sylweddoli fod yna ochr arall i'r stori,' meddai Siân yn llawn rhwystredigaeth.

'Mae'n haws coelio bod pethau'n ddu a gwyn. Mae bywyd yn llai cymhleth fel yna.'

'Gobeithio nad oes ots dach chi 'mod i'n dweud, Mina,' meddai Gili Dŵ yn araf. 'Ond mae'n anodd gen i gfedu y bydd Abefmofddu gynddfwg â hynny. Wedi'f cyfan, mae Mael o Abefmofddu, ac mi sylweddolodd o'n syth mai llwyth o lol oedd y busnes YCH 'ma.'

'Mae hynny'n ddigon gwir, ac mae hynny'n dangos hogyn mor gall yw Mael. Ond mae sefyllfa Mael fymryn yn wahanol, yn tydi? Mae o'n gwybod sut deimlad ydi hi i fod ar gyrion cymdeithas. Efallai fod hynny'n ei wneud o'n fwy sensitif at bobol sydd mewn sefyllfa debyg.'

'Ar gyrion cymdeithas?' gofynnodd Cledwyn mewn penbleth.

'O,' meddai Mina gan wrido, a syllu draw at Mael, tra ei fod yntau'n syllu ar weddillion ei swper. 'Wel… Ym… Be o'n i'n meddwl oedd… Ym…'

'Mae'n iawn, Mina,' meddai Mael. 'Fi sydd heb esbonio wrthyn nhw.'

'Esbonio be?' gofynnodd Siân yn syn.

Llyncodd Mael yn araf, cyn codi ei lygaid at ei ffrindiau. 'Rydw i'n un o Bobol y Coed,' esboniodd Mael. 'Mae trigolion y trefi yn ein diodde ni, ond dydyn nhw ddim yn ein parchu. Ni sy'n gorfod cymryd y swyddi budron, swyddi nad ydyn nhw'n talu ond y nesa peth i ddim o gyflog. Ni sy'n byw yn y tai lleia ac yn yr ardaloedd gwaetha.'

Synnodd Cledwyn wrth glywed am gefndir Mael. Roedd o'n un mor hyderus, heb sôn am fod yn glyfar a golygus. Roedd Cledwyn wedi dychmygu ei fod o'n un o fechgyn mwyaf poblogaidd yn Abermorddu.

'Pobol y Coed!' ebychodd Gili Dŵ mewn syndod. 'A finnau heb sylwi!'

'Roedd Mam yn Eneth y Coed, a Nhad yn un o hen deuluoedd ffermio Abermorddu. Mi gafodd eu teuluoedd nhw sioc pan briododd y ddau.'

'A be yn union mae o'n feddwl?' holodd Siân. 'I fod yn un o Bobol y Coed?'

'Hil o bobol ydyn nhw,' esboniodd Mina. 'Wel, hanner pobol a hanner coed.'

Bu tawelwch am ychydig wrth i Cledwyn a Siân ystyried hyn.

'Ond dwyt ti'n ddim byd tebyg i goeden!' meddai Cledwyn yn dawel, gan deimlo'n dwp.

Gwenodd Mael. 'Wel, rydan ni'n edrych yn debycach i bobol. Ond os edrychwch chi'n ofalus, mae 'nghroen i'n edrych fel boncyff coeden.' Cododd ei lawes ac, yn wir, roedd ei groen yn edrych fel boncyff ifanc, llyfn. Craffodd Cledwyn ar ei wyneb a gweld mai dyna oedd yn wahanol am edrychiad

Mael. Roedd llinellau ysgafn, bron yn anweladwy, yn rhedeg i lawr ei wyneb. 'Mae gen i bren yn lle esgyrn.' Dangosodd ei ddwrn a gwelodd Cledwyn mai pren tywyll oedd yn dynn o dan ei groen, ac nid esgyrn. 'Ac ambell waith, rydw i'n dod o hyd i ddeilen yn tyfu o dan fy nghesail neu rhwng bodiau 'nhraed.'

'Mae o'n swnio'n grêt!' ebe Cledwyn yn frwd. 'Heblaw am y ffaith eich bod chi ar gyrion cymdeithas, hynny yw.'

'Fydw i wedi clywed amdanoch chi, ond dydw i fioed wedi cwfdd ag un o Bobol y Coed o'f blaen,' meddai Gili Dŵ gan ysgwyd ei ben yn syn. 'Fo'n i dan yf afgfaff eich bod chi cyn daled â defwen, efo mop o ddail yn lle gwallt, a nad oedd dach chi deimladau am fod dach chi galon bfen!'

'Calon bren? Ydi... Ydi hynny'n wir?' gofynnodd Siân yn dawel. Doedd hi heb ddweud gair ers i Mael ddatguddio ei fod o'n un o Bobol y Coed, a doedd hynny ddim fel Siân o gwbl.

'Nac ydi siŵf!' atebodd Gili Dŵ. 'Mae'f hogyn wedi ffoi ei hun mewn pefygl enbyd ef mwyn ein helpu ni! Siŵf iawn fod ganddo fo deimladau!'

'Mae'n wir fod gen i galon wedi ei gwneud o bren,' meddai Mael yn dawel, gan syllu i fyw llygaid Siân. 'Mae'n siŵr ei bod hi i fyny i chi, fy ffrindiau i, i benderfynu a ydi hi'n dda i rywbeth.'

Bu tawelwch wrth i Gili Dŵ a Mina syllu ar Siân a Mael, oedd yn dal yn syllu ar ei gilydd. Roedd Mina'n ceisio cuddio gwên fach, ac ystyriodd Cledwyn beth allai wneud iddi wenu. Edrychodd yntau draw at ei chwaer, a'i gweld hithau'n dawel am unwaith. Daeth syniad i'w ben yn sydyn: Doedd bosib bod y ddau yn ffansïo'i gilydd?

Cyn iddo gael cyfle i feddwl mwy am y peth, cododd Mina o'i chadair a mynd i nôl bocs bach sgwâr oedd ar un o'i silffoedd llyfrau. Daeth â'r bocs draw at y bwrdd ac agor y caead. Gan fod Mina wedi gwneud seremoni o gyflwyno'r bocs bach, cafodd Cledwyn ychydig o siom o weld ei fod yn llawn o dywod. Plymiodd Mina ei bysedd hirion i mewn i'r tywod, gan chwilio ynddo am ychydig. O'r diwedd, tynnodd rywbeth o'i berfeddion. Angor fach, fach, yn ddim mwy na maint clustdlws, wedi ei pheintio'n goch ac yn wyn.

'Be ar wyneb y ddaear ydi hwnna?' holodd Siân mewn penbleth.

'Dewch tu allan i chi gael gweld,' gwenodd Mina. Aeth pawb i sefyll ar y platfform bach y tu allan i'r tŷ, ac ymhen dim o dro, ymddangosodd cysgod mawr ar y gorwel.

'Llong!' sibrydodd Cledwyn wrth i'r siâp agosáu. Roedd hi'n un o'r pethau harddaf a welsai Cledwyn erioed – o bren tywyll, cadarn yr olwg â hwyliau mawr gwyn. Roedd hi'n anhygoel o hen ffasiwn, fel rhywbeth allan o lyfr clawr caled llychlyd. Ac roedd hi'n enfawr!

'Felly, mae'f llong yn dod atoch chi am i chi dynnu'f angof 'na allan o'r bocs bach o dywod?' holodd Gili Dŵ. Nodiodd Mina. 'Sut mae hynny'n gweithio, dwedwch?'

'Mae'n swyn digon syml,' atebodd. 'Meddwl oeddwn i y byddai'n lle eitha saff cuddio'r angor. Pe bai rhywrai'n dod i'r tŷ, ac eisiau dwyn y llong heb fy nghaniatâd i, y lle olaf bydden nhw'n mynd i edrych am yr angor fyddai mewn bocs bach o dywod!'

Sylweddolodd Cledwyn wrth wrando arni mor rhyfedd oedd bywyd Mina. Roedd hi hyd yn oed wedi paratoi ar gyfer lladron yn ymweld â'i chartref: Mae'n rhaid bod ei bywyd yn llawn perygl.

Wrth i'r llong agosáu, mwynhaodd Cledwyn edrych ar bob manylyn ohoni – y ffenestri bach crynion yn ei hochr, y rhaffau trwchus oedd yn dal yr hwyliau gwynion yn eu lle, a'r enw oedd wedi ei beintio mewn llythrennau gwyn a choch ar y pren tywyll:

Una

'Enw diddofol af long,' ebe Gili Dŵ. 'Chi ddewisodd o?'

'Ew, na! Mae'r llong yn hŷn na fi o lawer. Rydw i'n hoffi'r enw. *Una* yw'r gair Lladin am y rhif un, wyddoch chi. Ac, yn fy marn i, dyma'r llong orau yng Nghrug. Beth bynnag,' meddai Mina wrth ddringo i fyny ysgol gadarn oedd ar ochr yr *Una*. 'Dewch i chi gael ei gweld!'

Roedd yr *Una* yn ysblennydd. Y bwrdd yn lân a sgleiniog, a'r hwyliau'n wyn llachar. Roedd grisiau bach yn arwain i lawr i ystafell gyfforddus, ac ynddi fwrdd mawr yn ei chanol ac arni lamp olew, a lle tân mawr. Dangosodd Mina ddwy ystafell wely iddynt, â gwlâu bync yn y ddwy. Syml oedd yr ystafell ymolchi, ond yn cynnwys popeth roedd ei angen, a ffenestr fach grwn uwchben y sinc lle gallai Cledwyn weld y môr yn ymestyn at y gorwel. Roedd grisiau eraill yn arwain i lawr at ryw fath o swyddfa, ac ynddi ddesg ysgrifennu, ac ystorfa fawr yn cynnwys degau o silffoedd yn llawn bocsys, pob un wedi ei labelu'n daclus; 'Bisgedi', 'llaeth sych', 'blawd' ac ati.

'Helpwch eich hun i bopeth, yn naturiol,' meddai Mina wrth eu tywys o amgylch y llong. 'Mae 'na danc mawr o ddŵr ar y dec uchaf. Mae'n bwysig i chi gadw log o'r daith hefyd gan ei bod hi'n anlwcus peidio.'

'Log?' gofynnodd Gili Dŵ. 'Be 'di peth felly?'

'Dyddiadur yn nodi'r daith. Does dim rhaid iddo fod yn fanwl, dim ond eich bod chi'n ysgrifennu am unrhyw ddigwyddiad diddorol.'

Agorodd Mina lyfr mawr clawr lledr brown ar y ddesg yn y swyddfa, a throdd i'r dudalen gyntaf. Cymerodd bin ysgrifennu arian ac ysgrifennodd ar y papur trwchus lliw hufen:

Mordaith i Abermorddu

'Rŵan, gan 'mod i wedi ysgrifennu i ble rydych chi'n mynd, fydd dim rhaid i chi drafferthu hwylio'r llong – mi aiff yr *Una* â chi i Abermorddu ar eich union. Mi fydd yn stopio yn y porthladd ac mi fyddwch chi'n berffaith saff.'

'Pa mor hir byddan ni'n teithio?' gofynnodd Siân.

'Mae'n dibynnu ar y tywydd,' atebodd Mina gan roi'r caead yn ôl ar y pin ysgrifennu. 'Ond mi fydd y daith yn para oddeutu tair noson.'

'Wnes i ddim sylweddoli bod Abermorddu mor bell,' meddai Cledwyn. Roedd o wedi dychmygu un noson ar yr *Una*, ond dim mwy.

'Cofiwch chi, mae cychod hwylio'n llawer arafach na'r rhai gydag injans sydd yn eich byd chi,' meddai Mael yn wybodus.

Cofiodd Cledwyn i Gili Dŵ ddweud ffaith od wrtho'r llynedd. Doedd pobl Crug ddim yn cael eu geni, fel roedd y bobl ym myd Cledwyn a Siân, ond yn ymddangos, un diwrnod, o nunlle. Yn rhyfedd iawn, er nad oedd unrhyw un yn siŵr o ble y daethant, roedd pob un yn gwybod yn reddfol am y byd arall, lle roedd Cledwyn a Siân yn byw. Roedd Cledwyn wedi meddwl am hyn droeon dros y flwyddyn diwethaf, ac wedi methu dod o hyd i esboniad oedd yn ei blesio. Sut gallai'r byd cyfa wybod am rywbeth heb gofio lle roedden nhw wedi dysgu amdano? Fel Mael rŵan. Sut yn y byd roedd o'n gwybod am injans mewn cychod, ac yntau wedi byw yng Nghrug ar hyd ei oes?

'Mi a' i rŵan i chi gael cychwyn ar eich mordaith,' gwenodd Mina, gan ysgwyd Cledwyn allan o'i benbleth. 'Mae mwy o ystafelloedd ar y llong, ond wna i ddim eu dangos nhw i chi. Rydw i'n meddwl bod cadw i'r rhan y dangosais i i chi yn fwy clyd, beth bynnag, ond gwnewch fel y dymunwch chi.'

'Ydan ni am ddechrau mor fuan â hyn?' gofynnodd Cledwyn. 'Dim ond newydd gyrraedd ydan ni!'

'Oes yna reswm i oedi?' holodd Mael.

'Wel… na,' atebodd Cledwyn gan deimlo'n ddwl braidd. Y gwir oedd bod o ddim am ffarwelio â Mina. Mi fyddai o wedi bod yn hapus i aros yn ei chwmni am ychydig hirach, ac anghofio'r dasg anodd oedd o'u blaenau am ychydig.

'Falla y ca i gyfle i ddod i'ch adnabod chi'n well pan ddewch chi 'nôl,' gwenodd Mina a chychwyn am y grisiau oedd yn arwain at fwrdd y llong.

'Falla...' dechreuodd Mael, a throdd Mina yn ôl i edrych arno. 'Falla na ddown ni 'nôl.' Neidiodd stumog Cledwyn wrth glywed y geiriau dychrynllyd hyn, ac ystyriodd a oedden nhw'n gwneud peth call yn hwylio'n syth i ganol haid o bobol oedd yn eu hofni ac yn wir yn eu casáu. Bu Mael mor bositif am bopeth, ac roedd clywed bod ganddo yntau amheuon yn siglo ffydd Cledwyn.

'Paid â chychwyn ar dy daith â meddyliau mor negyddol,' meddai Mina'n fwyn. 'Mae gen i ffydd ynddoch chi. Byddwch yn ddoeth, ac mi fyddwch chi'n iawn.'

'Rydach chi'n hynod o garedig, yn benthyca'r llong yma i ni,' meddai Siân. 'A fedrwn ni ddim addo y gallwn ni ddod â hi'n ôl i chi.'

'Peidiwch â phoeni am hynny,' atebodd Mina. 'Mae'r *Una*'n llong hyfryd, mae'n wir, ond dim ond pren, rhaffau, hwyliau ac ychydig swynion ydi hi wedi'r cwbwl. Mae'n rhaid i chi roi eich holl egni i gadw'ch hunan yn ddiogel ac anghofiwch am yr hen long.' Synnwyd Cledwyn gan hawddgarwch anhunanol Mina, a meddyliodd gymaint o biti ydoedd na allai'r pedwar aros yn ei chwmni am ychydig bach yn hirach. Gwyliodd Cledwyn wrth i'r ddynes harddaf iddo'i gweld erioed yn dringo i lawr yr ysgol fach yn ôl i'w chartref yng nghanol y dyfroedd.

Wrth i'r llong hwylio'n braf gan ymadael â chartref Mina, safodd Cledwyn, Siân, Gili Dŵ a Mael ar fwrdd y llong i godi llaw arni, tan ei bod hi'n ddim byd ond smotyn bach pengoch yn y pellter. Trodd Siân at ei brawd.

'Rwyt ti'n hoff iawn o Mina, dwyt?'

Trodd Cledwyn ati gan ddisgwyl ei gweld hi'n cilwenu wrth dynnu coes, ond roedd ei hwyneb yn feddylgar. Nodiodd Cledwyn.

'Mae hi'n hael iawn, ac yn garedig.'

'Ydi,' cytunodd Siân. 'Gobeithio y cawn ni gyfle i dreulio mwy o amser yn ei chwmni hi, yntê.'

Trodd Siân a dilyn Mael a Gili Dŵ i berfeddion y llong. Ond arhosodd Cledwyn allan tan i'r tŷ bach pren ar wyneb y dŵr ddiflannu i'r gorwel. Yna gwyliodd yr haul yn cael ei lyncu ar ei ôl, a'r awyr yn cael ei liwio'n stribedi pinc a phiws a choch.

PENNOD 5

Gan gofio mai dim ond ychydig fodfeddi o bren oedd yn ei warchod rhag creaduriaid môr Crug, roedd noson gyntaf Cledwyn ar yr *Una* yn gyfforddus iawn. Roedd y lolfa fach yn gynnes a chlyd, a'r tân yn y grât yn clecian a'r soffas mawr yn gartrefol dros ben. Fe grasodd Siân dafellau o fara â fforc hir, fain, dros y tân, a thaenu menyn yn drwchus drostynt.

'Waw!' ebychodd Cledwyn, ar ôl cymryd cegaid o'r tost. 'Mae hwn yn anhygoel, Siân!'

'Mmm,' cytunodd Mael, gan gnoi'n awchus. 'Y tost gorau a ges i rioed!'

'Bfenshach,' meddai Gili Dŵ wrth estyn am ail dafell. 'Mae hwn yn well na'r bafa gwlithod a phfidd dwi'n wneud i mi'n hun af achlysufon afbennig! Diolch, Siân.'

Gwridodd Siân. 'Twt lol. Dim ond tost a menyn ydi o. Wn i ddim pam dach chi'n gwneud y ffasiwn ffys!' Ond gallai Cledwyn weld bod ei chwaer wrth ei bodd am fod ei phryd syml yn plesio cymaint.

Ar ôl bwyta a chael sgwrs o amgylch y tân, penderfynodd Cledwyn fynd i ysgrifennu yn y llyfr log cyn iddo fynd i'w wely. Roedd y swyddfa fach yn rhyfeddol o gynnes, a'r lamp olew yn taflu ei goleuni i bobman.

Eisteddodd wrth y ddesg ac agor y llyfr log, gan fwynhau teimlo'r tudalennau trwchus dan ei fysedd. Ers pan oedd yn blentyn, bu Cledwyn wrth ei fodd gydag offer ysgrifennu: papur trwchus, llyfn neu ben ysgrifennu a'r inc yn llifo'n rhimyn tenau. Roedd y papur a'r pin ysgrifennu yma'n rhai llawer mwy gwerthfawr na'r rhai y cawsai Cledwyn gyfle i'w defnyddio cyn hyn. Syllodd am ychydig ar y geiriau roedd Mina wedi'u hysgrifennu rai oriau yng nghynt:-

Mordaith i Abermorddu

Tynnodd ei fys dros y geiriau ac edmygu ei llawysgrifen daclus. Yna, trodd y dudalen ac estyn y pin ysgrifennu. Dechreuodd ysgrifennu.

Diwrnod 1.

Gadael cartref Mina ychydig cyn iddi fachlud. Mae'r dŵr yn dawel a heddychlon. Mae hi'n nos rŵan, a'r llong yn gartrefol a chynnes. Rydw i'n falch ein bod ni'n cael rhai diwrnodau ar yr Una. Dydw i ddim yn edrych ymlaen at gyrraedd Abermorddu.

Darllenodd Cledwyn yr hyn roedd o wedi'i ysgrifennu. Efallai nad oedd angen y rhan olaf yna gan ei fod braidd yn bersonol i'w gynnwys mewn llyfr log. Ond doedd ganddo mo'r galon i groesi'r geiriau allan a gwneud llanast o'r llyfr newydd. A beth bynnag, roedd o'n siŵr na fyddai gan Mina wrthwynebiad iddo ysgrifennu ychydig mwy na'r ffeithiau plaen yn y llyfr. A bod yn onest, roedd o'n teimlo ychydig yn well ar ôl rhoi ei bryderon ar bapur.

Dringodd Cledwyn y grisiau cul i'r lolfa fach, ond roedd pawb wedi diflannu. Mae'n rhaid bod pawb wedi mynd i'w gwlâu, meddyliodd, ond na, roedd y llofftydd yn wag. Dechreuodd Cledwyn boeni braidd tan iddo ddringo'r grisiau i fwrdd y llong, a gweld y tri'n gorwedd ar eu cefnau yn y tywyllwch, yn syllu ar y ffurfafen.

'Be yn y byd dach chi'n neud?' holodd Cledwyn mewn penbleth.

'Gorwedda i lawr, Cled,' gorchmynnodd Siân. 'Edrycha ar y sêr.'

Er nad oedd y pren caled yn lle cyfforddus iawn i orwedd arno, roedd y sêr disglair a niwloedd gwyn y gofod yn ddigon i swyno unrhyw un. Fe synnwyd Cledwyn wrth weld gymaint o sêr oedd yno, pob un yn llachar, yn wincio i lawr ar yr *Una* yng nghanol y môr tywyll. Pan fyddai'n noson glir yn Aberdyfi, gellid gweld casgliad rhyfeddol o sêr, ond roedd hyn yn hollol wahanol. Roedd yr awyr wedi ei orchuddio â'r smotiau bach disglair, cannoedd ar filoedd ohonyn nhw, a lloer fawr lawn yn frenin ar y cyfan.

'Welais i rioed ddim byd tebyg,' sibrydodd Siân. Gorweddodd y pedwar am ychydig, gan syllu i'r ffurfafen heb ddweud gair. Trodd meddwl Cledwyn at ei nain. Tybed beth oedd hi'n wneud rŵan? Mi fyddai hi wedi bod wrth ei bodd ar yr *Una*, a gyda Mina o ran hynny. Roedd y ddwy'n debyg o ran cymeriad, yn llawn chwerthin a charedigrwydd. Meddyliodd am Eiry, ei fam, yn gaeth yn ei phalas, heb syniad yn y byd be oedd yn digwydd i'w phlant na'i ffrindiau. Byddai hynny'n waeth na dim, penderfynodd Cledwyn, yn gwybod am y peryglon ond heb allu gwneud dim byd i'w hamddiffyn.

'Dwi am fynd i 'ngwely.' Cododd Siân a chychwyn am y grisiau. Cododd y tri arall fel petaent wedi bod mewn breuddwyd, a'i dilyn i lawr i'r lolfa gynnes. Sylweddolodd Cledwyn yn sydyn mor flinedig oedd o.

'Gwell i Cled a finna gysgu mewn un llofft, ac mi gewch chi'ch dau'r llall,' meddai Siân wrth Mael a Gili Dŵ, cyn dylyfu gên a throi am y cabin. 'Nos da.'

Ar ôl digwyddiadau'r dydd, roedd Cledwyn wedi disgwyl troi a throsi am oriau yn meddwl am hyn a'r llall ac arall, a phoeni am yr hyn oedd i ddod. Ond wedi swatio o dan y blancedi trwchus ar ei wely ar y bync ucha, roedd Cledwyn yn cysgu'n drwm o fewn ychydig eiliadau, a'i freuddwydion yn llawn bocsys bach o dywod, a gwallt coch fel gwaed.

Roedd Cledwyn wedi edrych ymlaen at ychydig ddyddiau o seibiant ar yr *Una*, ond o fewn pedair awr ar hugain, roedd o'n dyheu am ddod i ddiwedd y fordaith. Doedd dim byd i'w wneud ar y llong. Roedd o wedi eistedd ar ei bwrdd am ychydig yn gwylio'r tonnau, ond doedd dim pysgod i'w gweld, na thir i unrhyw gyfeiriad chwaith. Sgwrsiodd am rai oriau gyda Gili Dŵ am hyn a'r llall, ac roedd wedi trio cynnal sgwrs gyda Mael, ond bu hynny'n anodd iawn gan fod hwnnw'n dioddef o salwch teithio ar y môr. Digon diamynedd oedd Siân wrth drafod Mael, fel petai o'n mynd ar ei nerfau. Erbyn hyn credai Cledwyn iddo gamddeall y sefyllfa pan feddyliodd fod

Siân yn ffansïo Mael – doedd bosib y gallai unrhyw un fod mor biwis tuag at rywun roedden nhw'n ei hoffi!

Yr unig swyddogaeth oedd gan Cledwyn oedd cadw'r log, ac fe dreuliodd lawer o'i amser yn cofnodi pob manylyn dibwys. Ymhen dim o dro, roedd o wedi llenwi tudalennau lu am ddigwyddiadau ar yr *Una*, ond hefyd am ei fyfyrdodau a'i deimladau ef ei hun. Gwridodd wrth feddwl y byddai Mina'n darllen ei eiriau ryw ddydd, ond doedd hynny ddim yn ddigon i'w stopio chwaith.

Y noson honno, ar ôl swper o ffa pôb a selsig, aeth pawb i'w gwlâu yn gynnar, wedi blino ac mewn diflastod. Unwaith eto, cysgodd Cledwyn yn drwm am rai oriau – ond yn wahanol i'r noson flaenorol, cafodd ei ddeffro'n sydyn yn yr oriau mân.

Roedd y lamp olew ymlaen yn y llofft, ac wrth edrych i lawr, gwelodd Cledwyn fod Siân yn eistedd ar ei gwely a'i phen yn ei dwylo.

'Be sy'n bod?' gofynnodd Cledwyn, yn ofni bod rhywbeth ofnadwy wedi digwydd. Ond ni chafodd Siân gyfle i ateb, oherwydd gyda hynny dechreuodd y llong grynu, nes peri i Siân a Cledwyn orfod gafael yn dynn yn eu gwlâu rhag iddyn nhw gwympo. Yn fwy dychrynllyd na hynny, torrwyd ar y tawelwch gan sŵn rhuo uchel, mor uchel nes teimlai Cledwyn fod y twrw'n cyrraedd mêr ei esgyrn. Wedi rhyw bymtheg eiliad, tawodd y sŵn a pheidiodd y crynu, ond siglai'r llong o'r naill ochr i'r llall fel petai cawr wedi ei chodi a'i hysgwyd. Yn wir, gallai Cledwyn glywed sŵn y tonnau'n tasgu y tu allan i'r llong.

'Be oedd hynna?' gofynnodd Cledwyn mewn braw gan gofio'r holl hanesion am greaduriaid dychrynllyd y môr.

'Storm,' atebodd Siân heb edrych i fyny. 'Storm ofnadwy. Alla i ddim coelio dy fod ti wedi cysgu drwy gymaint o stŵr.'

Neidiodd Cledwyn o'i wely, a cholli cydbwysedd cyn iddo gael cyfle i godi'n iawn hyd yn oed, gan fod y llong mor sigledig. Teimlai don o salwch yn golchi drosto. Edrychodd i fyny ar ei chwaer.

'Be os…?' gofynnodd Cledwyn, a phob mathau o bethau'n rhedeg trwy ei feddwl. 'Be os…?'

'Paid â gadael i dy ddychymyg godi ofn arnat ti, Cled,' atebodd Siân dros ruo'r tonnau. 'Mi fyddan ni'n iawn.'

Ar hynny, agorodd drws y cabin ac ymddangosodd wyneb Gili Dŵ, yn welw ac yn ofnus. Gafaelodd yn dynn yn ffrâm y drws rhag iddo ddisgyn.

'Mae'n iawn, Gili Dŵ,' meddai Siân, er ei bod hi'n edrych fel petai'n trio ei gorau i beidio â chwydu. 'Mi fydd popeth yn iawn.'

Nid atebodd Gili Dŵ, dim ond ysgwyd ei ben, a'i lygaid porffor yn fawr, fawr.

'Be sy'n bod?' holodd Cledwyn, gan amau bod rhywbeth mwy na storm ar feddwl ei ffrind.

'Gili Dŵ!' gwaeddodd Siân, wedi dychryn. 'Lle mae Mael?'

'Mae o wedi bod yn sâl fel ci dfwy'f nos,' meddai Gili Dŵ yn ofnus. 'Mi ddywedais i wftho fo bod o ddim yn syniad da, ond doedd y stofm ddim mof ddfwg fadeg hynny. Foedd o'n mynnu bod angen awyf iach afno fo. Doedd o ddim yn lecio taflu i fyny mewn bwced, ef i mi ddweud 'mod i ddim yn meindio. Mae o mof fonheddig.'

'Wnaeth o ddim mynd allan!' ebychodd Siân. 'Ddim yn y tywydd yma!'

'Unwaith iddo fo fynd, mi ddaeth 'na hen dafanau mawf, ac mi ddechfeuodd y tonnau wneud yf hen sŵn yna.' Crynodd Gili Dŵ. 'Y peth ydi, mae o wedi mynd efs fyw chwaftef awf fŵan.'

'Chwarter awr!' Fflachiodd panig dros wyneb Siân. 'Dewch wir!'

'Aros!' gwaeddodd Cledwyn dros ruo'r tonnau. 'Falla 'sa'n syniad i ni gael rhyw fath o gynllun cyn rhuthro allan i ganol storm.'

Sgrechiodd Siân mewn rhwystredigaeth. 'Cled, mae Mael yng nghanol y storm yma! Does dim amser i gynnal pwyllgor am y peth. Mae'n rhaid i ni fynd allan i'w achub o.'

Ochneidiodd Cledwyn cyn nodio ar Siân. Rhedodd y ddau'n simsan i lawr y coridor, a Gili Dŵ'n dynn ar eu sodlau. Dechreuodd Cledwyn ddringo'r grisiau at fwrdd y llong, ond stopiodd wrth weld y rhaeadr o ddŵr yn llifo i lawr o dan waelod y drws. Roedd y drws ei hun yn ysgwyd, a rhuo'r tonnau'n torri ar fwrdd y llong yn fyddarol.

'Brysia, Cled!' ymbiliodd Siân, a llyncodd Cledwyn ei ofn cyn rhedeg i fyny'r grisiau a thaflu'r drws yn agored. Cyn iddo gael cyfle i edrych o'i gwmpas, golchodd ton anferth drosto a'i daro i'r llawr. Fe wlychwyd Cledwyn o'i gorun i'w sawdl, ond ceisiodd sefyll unwaith eto wrth i Siân gamu drosto ac edrych o'i chwmpas am Mael. Daeth ton arall, ond cydiodd y tri yn y drws a llwyddo i aros ar eu traed y tro hwn.

'Wela i ddim afwydd ohono,' gwaeddodd Gili Dŵ yn ddigalon, ei lygaid bach yn llawn ofn.

'Mael!' sgrechiodd Siân. 'Mael!'

'Dacw fo!' Pwyntiodd Cledwyn at ochr bella'r llong, lle roedd ffigwr bach yn socian. Doedd o'n ddim byd tebyg i'r bachgen cryf a neidiodd o'r coed i lwybr Cledwyn a Siân ychydig ddyddiau yng nghynt. Cydiai Mael yn dynn yn ochr y llong, ond wedyn golchai ton enfawr drosto gan wneud iddo ddiflannu am ychydig eiliadau. Yna, byddai'r don yn cilio a byddai Mael yn ymddangos unwaith eto, dŵr hallt yn diferu o'i ddillad a'i wallt, a'i wyneb golygus yn llawn anobaith.

'Mael!' sgrechiodd Siân wrth ei weld, ac edrychodd Mael arni, ei lygaid yn llawn poen. Syllodd Siân yn ôl, cyn troi at Cledwyn a Gili Dŵ a golwg benderfynol ar ei hwyneb.

'Reit,' meddai'n bendant. 'Gili Dŵ, rhed i lawr i'r storfa i nôl rhaff – mi welais un tu ôl i'r drws. Cled, dos i roi coed ar y tân, a rho dywelion glân o'i flaen i gynhesu. Wedyn dowch yn ôl yma'n syth bin.'

Rhedodd Cledwyn a Gili Dŵ i lawr y grisiau gwlyb ar eu hunion, gan ofalu peidio â chwympo ar y pren llithrig. Diflannodd Gili Dŵ i'r storfa, a gosododd Cledwyn ddau ddarn trwchus o goed ar y tân. Aeth i'r ystafell ymolchi a nôl pedwar tywel mawr o'r silffoedd ger y bath. Aeth yn ôl at y tân a gosod y tywelion dros y cadeiriau cyfagos, cyn dringo'r grisiau at fwrdd y llong. Roedd Gili Dŵ wedi cyrraedd yn barod, ac roedd Siân yn brysur yn datod y rhaff drwchus o'i chlymau.

'Rŵan,' gwaeddodd dros dwrw'r storm. 'Mae'n rhaid i ni'n tri ddal un pen – mae'r tonnau'n rhy gryf, mi gymrith y rhaff o 'nwylo i. Dallt?'

'Ond, Siân...' dechreuodd Cledwyn, gan feddwl am ddegau o bethau allai fynd o'i le.

'Cledwyn!' bloeddiodd Siân. 'Gwna fel dwi'n dweud, iawn?' Roedd Cledwyn yn adnabod ei chwaer yn ddigon da i wybod pryd i gau ei geg, a nodiodd heb ddweud gair.

Gafaelodd Cledwyn, Siân a Gili Dŵ yn un pen i'r rhaff, a gafaelodd Siân mewn rholyn o'r rhaff â'i llaw rhydd. Arhoson nhw i don arall olchi dros Mael a syllai draw atyn nhw mewn anobaith llwyr. Wedi i'r dŵr olchi ymaith, fe daflodd Siân y rhaff at Mael.

Roedd Siân yn un da am daflu fel arfer, ac yn medru bwrw ei tharged gystal ag unrhyw un, ond roedd y gwyntoedd cryfion a'r tonnau uchel yn ei gwneud hi'n anodd, yn wir bron yn amhosib sicrhau bod y rhaff yn cyrraedd Mael. Glaniodd fetrau lawer i'r chwith o'i darged, a rhai metrau'n fyr hefyd.

Disgynnodd ysgwyddau a phen Siân wrth iddi sylweddoli mor anodd oedd ei thasg. Cafodd Cledwyn syndod o weld dagrau'n cymysgu â'r glaw ar ei gruddiau.

'Siân,' bloeddiodd dros y storm. 'Ty'd. Trïa eto. Mi fedri di wneud o... Mae'n rhaid i ti, Siân!'

Edrychodd Siân ar ei brawd a nodio'n araf. Daeth yr olwg benderfynol yn ôl i'w hwyneb, a dechreuodd hel y rhaff yn ôl mewn modrwyau mawr ar ei braich. Arhosodd i'r don nesaf ddiflannu. Ar ôl i'r dŵr glirio, taflodd Siân y rhaff unwaith eto.

Aeth yn agosach y tro hwn, ond roedd yn dal yn rhy bell i Mael allu cael gafael ynddi. Dechreuodd Siân hel y rhaff yn ôl ati'n syth.

'Tri chynnig i Gymro!' bloeddiodd Cledwyn ar ei chwaer, ac ar ôl y don nesaf, taflodd Siân y rhaff gyda 'hwaaaaa!' fawr.

Rywsut, y tro hwn, llwyddodd y rhaff i gyrraedd ei darged, ac wrth i law Mael gau o'i chwmpas daeth sŵn chwerthin mawr o enau Siân. Gwenodd Mael yn wan arni, cyn mynd ati'n gyflym i glymu'r rhaff o gwmpas ei ganol. Bu'n rhaid iddo ollwng ei afael ar ochr y llong er mwyn gwneud hyn, a llithrodd ei fysedd wrth geisio trin y rhaff drwchus. Llwyddodd i lunio cwlwm o amgylch ei fol, ac yn araf, dechreuodd gerdded tuag at ei ffrindiau.

'Gafaelwch yn dynn yn y rhaff,' rhybuddiodd Siân, wrth weld ton enfawr ar fin dymchwel dros ben Mael. 'Rŵan, tynnwch!'

Diflannodd Mael o dan y dŵr, a theimlodd Cledwyn nerth y don yn trio tynnu'r rhaff o'i ddwylo. Tynnodd â'i holl nerth, ond roedd y cerrynt yn gryf, a Mael yn dal ar goll o dan y don. Gadawodd y don ddŵr hyd at eu pengliniau, ond doedd dim golwg o Mael.

'Mae o wedi diflannu,' bloeddiodd Siân. 'Mae'r don wedi ei olchi o i ffwrdd!'

Yr eiliad honno, cododd Mael o'r dŵr o'u blaenau, ei wyneb fel y galchen a'i gorff yn dripian dŵr. Chwarddodd Siân mewn rhyddhad, a thaflodd ei breichiau am ei ysgwyddau i'w gofleidio'n dynn.

'Dewch allan o'f stofm 'ma, wif!' gwaeddodd Gili Dŵ yn flinedig. Dilynodd bawb y creadur bach i lawr y grisiau, a chaeodd Cledwyn y drws ar y storm fawr. Roedd y llong yn dal i siglo o ochr i ochr, a phob un yn socian, ond roedd y tân wedi gafael ac roedd yr *Una'*n cynnig lloches i'r pedwar rhag y tywydd mawr tu allan.

Roedd llawenydd Siân o gael Mael yn ôl yn ddiogel wedi diflannu, ac yn ei le dangosodd ei thymer.

'Pam gwnest ti beth mor anhygoel o dwp?' gwaeddodd Siân, heb aros am ymateb. 'Mi fyset ti wedi gallu boddi, Mael!'

'Dwi'n gwybod,' atebodd yntau, a'r tywel gwyn yn gwneud iddo edrych yn fwy gwelw nag erioed. 'Roedd o'n hen gamgymeriad gwirion. Mae'n ddrwg iawn gen i.'

'Mael!' gwaeddodd Siân. Doedd hi ddim wedi disgwyl iddo syrthio ar ei fai, ac roedd hi wedi paratoi ei hun am ffrae. 'Mi fyddan ni wedi gallu marw yn trio dy achub di.'

'Rho'r gorau iddi, Siân,' rhybuddiodd Cledwyn. 'Mae o wedi ymddiheuro.'

'Pe byddet ti wedi boddi, Mael...' dechreuodd Siân, ond methodd orffen y frawddeg. Safai mewn tawelwch, â dŵr yn dripian o'i gwallt a'i hwyneb. Roedd hi heb gael cyfle i wisgo'i sbectol, hyd yn oed, ac edrychai'n ifanc ac yn welw iawn â'i gwallt yn wlyb ac yn fflat ar ei phen.

'Sorri, Siân,' meddai Mael yn dawel. Teimlodd Cledwyn ei fod yn gwylio moment bersonol iawn rhwng Mael a'i chwaer, ac fe wyddai i sicrwydd, erbyn hyn, fod mwy na chyfeillgarwch rhwng y ddau.

'Dwi am newid o'f dillad gwlyb yma, ac yna mynd am fy ngwely,' meddai Gili Dŵ yn gyflym, gan ddiflannu am y cabin.

'A finna.' Dilynodd Siân. 'Nos da.'

Arhosodd Cledwyn am ychydig, gan fwynhau cynhesrwydd y tân ar ei ddillad gwlyb. Roedd Mael yn llwyd a blinedig.

'Be amdanat ti, Mael?' holodd Cledwyn. 'Wyt ti ddim am fynd i dy wely?'

Ysgydwodd Mael ei ben, cyn eistedd ar un o'r soffas. 'Well i mi aros wrth y tân, rhag ofn i mi ddechrau pydru.' Wrth gwrs. Doedd Cledwyn heb ystyried y peth o'r blaen, ond mae'n siŵr bod rhaid i Mael fod yn ofalus iawn ac yntau'n un o Bobol y Coed. Byddai tamprwydd yn siŵr o bydru ei esgyrn pren.

'Wel, mi a' i am fy ngwely. Byddi di'n iawn?' gofynnodd Cledwyn.

'Bydda, diolch. Mae'r storm yn tawelu rŵan.'

Roedd Mael yn iawn. Er bod y tonnau'n dal i daranu o gwmpas yr *Una*, doedd y llong ddim yn siglo gymaint erbyn hyn.

Trodd Cledwyn i adael, ond fe gafodd ei stopio gan lais tawel Mael. 'Cled?'

'Ia?'

Bu tawelwch am ychydig wrth i Mael hel ei feddyliau, ac yna ochneidiodd yn ysgafn. 'Dim. Nos da, Cled.'

Wrth ddefnyddio tywel mawr gwyn, sychodd Cledwyn y dŵr oddi ar ei wallt a'i gorff cyn neidio i'w wely ar ben y bync. Roedd Siân a'i chefn ato, a thybiai Cledwyn ei bod hi'n cysgu, ond unwaith iddo orwedd ar ei fatres esmwyth, daeth ei llais o'r bync oddi tano.

'Cled?' Roedd Siân yn swnio'n ifanc iawn, ei llais yn dawel.

'Ia?'

Ymestynnodd y tawelwch am eiliadau hir, cyn y daeth ateb distaw Siân.

'Dim byd.'

Y peth olaf i hwylio drwy feddwl Cledwyn cyn iddo gysgu'r noson honno oedd bod dau o'i gyd-deithwyr ar yr *Una* yn debygol o'i chael hi'n llawer anos nag ef i ddod o hyd i gwsg.

PENNOD 6

Gwawriodd y bore canlynol yn llwyd ond yn llonydd, ac er yr holl helynt a fu'r noson gynt, roedd pawb wedi codi'n gynnar. Roedd Mael yn edrych fymryn yn well, er ei fod o a Siân yn troedio o amgylch ei gilydd fel llewod ar fin cwffio. Treuliai Gili Dŵr rhan fwyaf o'i amser yn busnesa yn y storfa, yn dychmygu pa fwyd a fyddai'n gweddu'n dda i'w gilydd ('eifin gwlanog mewn tun! Mi fyddai hwnna'n gfêt efo ffa pôb, dach chi ddim yn meddwl? Falle' ffyw sblash o soi sôs...?') Ar ôl i Cledwyn dreulio awr gyfan yn ysgrifennu am ddigwyddiadau'r noson flaenorol yn y llyfr log, crwydrodd yn ei ddiflastod i fwrdd y llong. Roedd y pren yn dal yn damp ar ôl y storm, a'r awyr llwyd a'r niwl ar y dŵr yn gwneud yr olygfa'n un digon diflas.

Roedd Siân yn eistedd ym mlaen y llong, ei gwallt hir du'n dawnsio yn yr awel. Gwenodd ar ei brawd wrth ei weld yn cerdded tuag ati.

'Ti'n iawn?' gofynnodd Siân wrth i Cledwyn eistedd yn ei hymyl. Nodiodd Cledwyn. 'Meddwl oeddwn i, Cled, ei bod hi'n biti bod Nain yn colli ein hanturiaethau ni.'

Roedd gan Cledwyn gywilydd nad oedd o wedi meddwl am Nain gymaint ag y dylai. Wrth gwrs, fyddai hi ei hun yn gwneud dim byd heblaw meddwl a phoeni amdanyn nhw, heb syniad yn y byd a oedd y ddau yng Nghrug, neu wedi eu herwgipio gan ddihiryn ar y traeth yn Aberdyfi. Tynhaodd y cyhyrau yn stumog Cledwyn wrth iddo ystyried efallai na fyddai o'n cael gweld ei nain byth eto. Byseddodd oriawr ei dad yn nerfus. Dyn a ŵyr beth a ddisgwyliai amdanynt yn Abermorddu.

'Mi fyddai hi yn ei helfen yma,' parhaodd Siân, gyda gwên fach ar ei hwyneb. 'Mi fyddai Mina a hithau wedi gwirioni efo'i gilydd, wyt ti ddim yn meddwl?'

'Bydda,' cytunodd Cledwyn. 'Ac mi fyddai hi wrth ei bodd efo Mael.'

''Dw inna'n meddwl hefyd.' Parablodd y ddau am ychydig, gan ddychmygu eu nain ar fwrdd yr *Una*, yn llawn egni.

Yn sydyn, heb unrhyw rybudd, stopiodd y llong yn stond yn y dŵr. Edrychodd Siân a Cledwyn ar ei gilydd mewn penbleth. Bu tawelwch am ychydig eiliadau, ac yna, clywsant sŵn isel, undonog yn dod o'r dŵr. Clustfeiniodd Siân a Cledwyn.

Daeth y sŵn unwaith eto, yn uwch y tro hwn. Sŵn cwynfanllyd isel, yn fflat ac yn undonog. Aeth ias i lawr cefn Cledwyn. Roedd yn swnio fel petai rhywun yn y dŵr wrth ochr y llong. Ond pa fath o berson fyddai'n gwneud sŵn mor ansoniarus, a hynny yng nghanol y môr, ymhell o bob man?

Safodd Siân a Cledwyn ar eu traed yn araf. Tawodd y sŵn am ychydig eiliadau, cyn ailddechrau. Ar ôl ychydig, peidiodd y sŵn a bu tawelwch.

Neidiodd Siân a Cledwyn wrth glywed y sŵn yn ailddechrau yr ochr arall i'r llong. Roedd pwy bynnag, neu beth bynnag, a wnaeth y sŵn wedi symud drwy'r dŵr ar gyflymder anhygoel. Daeth y sŵn eto wrth i

Mael a Gili Dŵ ymddangos o grombil y llong.

'Be af wyneb y ddaeaf ydi'f twfw yna?' holodd Gili Dŵ. 'Mae o'n swnio fel moflo'n tfio canu!'

'Shhhh!' meddai Mael wrth weld wynebau ofnus Siân a Cledwyn. Daeth y sŵn eto, o fan hollol wahanol i'r lle y clywyd ef cynt. Troediodd Mael yn araf tuag at y twrw, ond cyn iddo gyrraedd, dechreuodd y sŵn ddod o gyfeiriad arall. Ymhen eiliadau, cododd y sŵn o amgylch yr *Una* i gyd.

Nid un llais oedd yn gwneud y sŵn, sylweddolodd Cledwyn gyda ias. Roedd 'na gôr dychrynllyd yn amgylchynu'r llong.

Edrychodd y pedwar ffrind ar ei gilydd, a'u llygaid yn llawn braw. Heb ddweud gair, cerddodd y pedwar, mewn llinell, at ochr y llong. Doedd Cledwyn ddim eisiau gwybod be oedd yn gwneud y sŵn, byddai'n well ganddo redeg i lawr i'w gaban a neidio ar ei wely a phlannu ei obennydd yn dynn am ei ben. Ond roedd o a Siân, Gili Dŵ a Mael yn dîm erbyn hyn, a rhaid oedd ymchwilio i weld beth oedd yn gwneud y twrw isel annynol. Nodiodd Mael ar y tri arall, ac edrychodd y pedwar i lawr dros ochr y llong i'r dŵr llwyd islaw.

Rhewodd calon Cledwyn yn ei frest, a stopiodd anadlu am ychydig eiliadau. Allai o ddim tynnu ei lygaid oddi ar yr hunllef oedd yn edrych i fyny arno o'r dŵr.

Ysbrydion. Cannoedd ohonyn nhw, yn llenwi'r dŵr o amgylch yr *Una*, a phob un yn syllu i fyny arno. Ceisiodd Cledwyn edrych i ffwrdd, ond methodd dynnu ei lygaid oddi arnynt. Dynion oedd y rhan fwyaf ohonynt, dynion o bob oed, yn syllu arno'n brudd – eu gwalltiau yn wlyb a phob wyneb yn llawn tristwch. Gwyddai Cledwyn mai ysbrydion oeddynt, gan eu bod fel amlinelliad o berson byw. Doedd dim lliw yn perthyn iddynt, a gellid gweld y tonnau bychan trwyddynt. Ni welodd Cledwyn erioed y ffasiwn olygfa ddychrynllyd o'r blaen. Roedd eu hwynebau yn llawn arswyd.

'Waaaaaa!' gwaeddodd Gili Dŵ mewn ofn. Brysiodd Cledwyn, Siân a Mael ato, eu hwynebau yn llwyd a difrifol. Roedd Gili Dŵ druan yn crynu.

'Maen nhw'n amgylchynu'r llong,' meddai Mael, a thôn ei lais yn ddifrifol iawn. 'Cannoedd ohonyn nhw.'

'Be ydyn nhw?' gofynnodd Siân. Roedd ei hwyneb yn welw, ac edrychai fel petai ar fin bod yn sâl.

'Dwi'n meddwl... Ond dydw i ddim yn siŵr...' dechreuodd Mael, cyn ochneidio. 'Ydych chi'n siŵr eich bod chi eisiau clywed? Tydi o ddim yn neis iawn.'

'Mael!' gwylltiodd Siân.

'Ocê, ocê. Wel, dydw i ddim wedi gweld dim byd tebyg o'r blaen, ond roedd hanesion yn Abermorddu bod ysbrydion y rhai sydd wedi boddi yn y môr yn nofio'n dragwyddol, yn chwilio am fywyd.'

'Ysbfydion?' ailadroddodd Gili Dŵ. 'O, Mam fach!'

'Be maen nhw eisiau?' gofynnodd Cledwyn, er ei fod o'n siŵr nad oedd o am glywed yr ateb.

'Maen nhw'n gwneud y swn 'na am eu bod nhw'n trio siarad â ni. Ond maen nhw'n siarad iaith tanddwr, fel morfilod, a dydyn ni ddim yn eu dallt nhw.' Ar y gair, agorodd un o'r ysbrydion ei geg a gwneud sŵn fflat, annaearol. Crynodd Cledwyn drosto wrth feddwl bod y sŵn yn dod o enau ysbryd.

'A?' holodd Siân.

'Tydyn nhw ddim yn ysbrydion dieflig, dim ond yn bobol, fel chi a fi, ond eu bod nhw wedi cael anlwc ar y môr. Ond maen nhw'n ysu am gwmni dynol... Yn ysu i gael ein cyfarfod ni. Mi wnân nhw unrhyw beth i gael dod aton ni... Rydw i wedi clywed amdanyn nhw'n siglo llong tan iddi wyro drosodd; Rydw i wedi clywed amdanyn nhw'n rhoi llong ar dân hyd yn oed.'

'Dyna fo ta,' meddai Gili Dŵ yn sigledig, a'i gorff yn crynu. 'Waeth i ni ddefbyn y peth fŵan. Mi fyddan ni'n ymuno â nhw efbyn bofe fofy, siŵf i chi. O, haleliwia. Tydw i ddim yn ffy hoff o ddŵf... Be yn y byd wna i ynddo fo hyd dfagwyddoldeb? Dim ffyfedd eu bod nhw'n edfych mof dfist!'

'Paid â dweud ffasiwn beth,' dwrdiodd Siân yn flin. 'Mae'n siŵr bod 'na ryw ffordd o gael gwared arnyn nhw.' Edrychodd draw i gyfeiriad Mael, ond dim ond codi ei ysgwyddau wnaeth hwnnw.

Rhuthrodd Siân draw at ochr y llong a phwyso uwchben y dŵr. 'Plîs!' gwaeddodd i lawr ar yr ysbrydion. 'Peidiwch â niweidio'r llong. 'Dan ni angen cyrraedd Abermorddu.' Edrychodd yr ysbrydion i fyny ati, eu llygaid mawr a'u hwynebau hirion yn amlwg yn methu deall gair roedd hi'n ei ddweud.

'Dydyn nhw ddim yn dy ddeall di,' ebe Mael yn dawel.

'Ond… ond… allwn ni ddim aros yma, yn disgwyl iddyn nhw ein llusgo ni i'r dŵr! Mae'n rhaid bod rhywbeth y gallwn ni ei wneud.'

Ond er i Siân, Cledwyn, Gili Dŵ a Mael drio'i gorau i feddwl am ffordd o ddianc rhag yr helynt, ni chafwyd syniad gan yr un ohonynt. Ar ôl ychydig mwy o synau cwynfanllyd gan yr ysbrydion, ysgydwodd Gili Dŵ ei ben mewn anobaith.

'Mae'f hen synau yma'n fy ngyfu i o 'ngho,' meddai gan ochneidio. 'Fydw i am fynd i wneud tamaid o ginio i ni. Waeth i mi heb â phoeni am y bfastef fŵan, a minnau af fin cicio'f bwced.'

Diflannodd Gili Dŵ i grombil y llong, a dilynodd Mael ef gyda golwg flinedig ar ei wyneb golygus.

'Dyna fo, ta,' meddai Siân. ''Dan ni'n gorfod aros yma, aros i'r ysbrydion ein boddi ni. Ac yna, mi gawn ni dreulio tragwyddoldeb yn nofio o gwmpas yn chwilio am bobol eraill i'w boddi. Grêt!'

'Wyddost ti ddim. Ella na wnawn nhw ddim byd.' Er gwaethaf ei ofn, cymerodd Cledwyn gip dros ochr y llong ar yr ysbrydion cwynfanus. Roedd o'n gwneud synnwyr, meddyliodd, bod mwy o ddynion na merched – wedi'r cyfan, roedd y rhan fwyaf o bysgotwyr yn ddynion, ac felly roedd mwy o siawns iddyn nhw foddi. Sylwodd Cledwyn ar ysbryd dynes, tua'r un oed â'i fam, yn syllu arno o'r dŵr. Teimlodd Cledwyn don o dristwch yn golchi drosto wrth iddo gofio mai pobl gyffredin fu'r rhain i gyd unwaith, ac ystyriodd mor greulon oedd eu tynged. Trodd i siarad â Siân, ond roedd hithau hefyd wedi diflannu i grombil y llong.

Dilynodd Cledwyn ei chwaer i lawr y grisiau pren, a'i galon yn ei sgidiau. Roedd Gili Dŵ, Mael a Siân yn eistedd ar un o'r soffas mawr, eu hwynebau'n wyn ac yn brudd. Aeth Cledwyn i eistedd ar y soffa arall, ond bron cyn iddo eistedd, daeth sŵn a berodd i'w waed rewi.

Bang, yn dawel i ddechrau, yn dod mor rheolaidd â churiad calon. Yna un arall, o gyfeiriad gwahanol. Yna mwy, a mwy, a mwy, tan fod y sŵn yn fyddarol a'r *Una*'n crynu.

Roedd yr ysbrydion yn torri i mewn i'r llong.

Edrychodd Cledwyn ar ei ffrindiau. Roedd Gili Dŵ yn ysgwyd ei ben yn araf; Mael yn cnoi ei wefus; a Siân a'i llygaid wedi eu cau'n dynn.

Roedd eistedd yn waeth na dim, yn aros i'r ysbrydion lwyddo yn eu hamcanion ac i ddŵr oer y môr eu cyrraedd. Neidiodd Cledwyn ar ei draed a rhedeg i fyny'r grisiau. Doedd o ddim am ildio fel hyn.

'Peidiwch!' gwaeddodd dros ochr y llong. Fe'i hanwybyddwyd yn llwyr gan yr ysbrydion, oedd yn waldio ochr y llong â'u dwylo. 'Rhowch y gorau iddi!'

'Stopiwch!' Trodd Cledwyn a gweld bod Siân, Mael a Gili Dŵ wedi ymuno ag ef, a bod y tri hefyd yn pwyso dros ochr y llong. Gwenodd Cledwyn arnynt. Byddai'r pedwar yn brwydo gyda'i gilydd tan y diwedd, gan wrthod ildio byth.

Gwaeddodd y pedwar ar yr ysbrydion am amser hir, ac er i ambell un edrych i fyny atyn nhw, wnaethon nhw ddim rhoi'r gorau i drio dymchwel y llong.

'Mae hi'n anobeithiol!' ochneidiodd Siân.

'Be am i ni daflu pethau i lawr atyn nhw?' holodd Gili Dŵ.

'Mi fydd be bynnag 'dan ni'n ei daflu yn syrthio drwyddyn nhw,' meddai Mael, gan ysgwyd ei ben.

''Dan ni angen help,' ebe Cledwyn yn rhwystredig. 'Mae'n rhaid bod 'na ffordd allan o'r twll yma!'

'Mae'n ffaid i ni ddefbyn y ffaith mai dyma fydd ein diwedd ni,' meddai Gili Dŵ yn drist. 'Piti hefyd. Fo'n i wedi edfych ymlaen at foi'f hen bobol YCH 'na yn eu lle.'

'Sh!' Gosododd Siân ei bys ar ei gwefusau. Clustfeiniodd pawb, gan drio gwrando ar sŵn arall dros fangio diddiwedd yr ysbrydion.

'Helô?' Daeth llais, yn gryf ac yn glir, o'r dŵr. Rhuthrodd pawb i weld pwy oedd yno.

Roedd y ddwy ddynes yn y dŵr yn ddigon cyffredin yr olwg, un â gwallt tywyll hyd at ei gên, a'i thrwyn braidd yn fawr, a'r llall â gwallt byr golau a dannedd cam. Roedd y ddwy'n gwisgo festiau du, a gallai Cledwyn weld eu cynffonau arian yn sgleinio dan y dŵr. Môr-forynion!

'Haleliwia!' meddai'r un â gwallt tywyll wrth iddi weld Cledwyn a'i ffrindiau. ''Dan ni wedi bod yn gweiddi ers amser. Glywsoch chi mohonon ni'n galw?'

'Wyt ti'n synnu, Beti?' holodd y fôr-forwyn arall. 'Mae'r hen ysbrydion 'ma'n rai ofnadwy am gadw reiat. Maen nhw wastad 'run peth pan ddown nhw o hyd i long... Rhyw hŵ-hâ fawr a chadw twrw.'

'Maen nhw'n trio torri'r llong!' gwaeddodd Cledwyn. 'Maen nhw'n trio'n boddi ni! Allwch chi ein helpu?'

'Wel, myn coblyn i, Sandra, yli pwy sy 'ma!' Gwenodd Beti ar Cledwyn. 'Mae'n amser hir ers i ni dy weld ti, boi.'

Ysgydwodd Cledwyn ei ben. 'Dydw i ddim wedi eich cyfarfod chi o'r blaen, sorri. Mae'n rhaid mai meddwl am rywun arall ydach chi. Ond rydan ni wir angen help.'

'Mi ddywedon ni wrthot ti'r tro d'wytha i roi gwaedd os oeddet ti mewn helbul, 'yn do?' meddai Sandra. 'A dyma ni.'

'Fedrwch chi gael gwared â'r ysbrydion yma?' holodd Siân yn gyflym.

'Mi drïwn ni'n gorau,' atebodd Sandra, a throdd at yr ysbrydion. Agorodd ei cheg a gwnaeth y sŵn morfilaidd annaearol a wnaed gan yr ysbrydion yng nghynt. Stopiodd yr ysbrydion ymosod ar y llong ar unwaith, a throi i wrando arni. Ar ôl iddi orffen gwneud y sŵn, bu tawelwch am ychydig wrth i'r ysbrydion feddwl yn ddwys. Yna, atebodd un o'r ysbrydion, dyn ifanc â mwstásh a gwallt hir, yn yr iaith danddwr.

'Tydi o ddim yn dallt pam bod angen llonydd arnoch chi,' cyfieithodd Beti. 'Mae o'n dweud eu bod nhw eisiau bod yn ffrindiau efo chi.'

'Dwedwch wrthyn nhw... dwedwch wrthyn nhw y cawn nhw'n galw ni'n ffrindiau,' atebodd Mael, gan anwybyddu wfftio drwgdybus Siân. 'Ond esboniwch ein bod ni mewn brys enbyd i gyrraedd Abermorddu, a bod wir angen llonydd arnon ni yn ystod ein taith.'

Agorodd Sandra'i cheg eto, a gwneud y sŵn cwynfanllyd. Edrychodd yr ysbrydion ar ei gilydd mewn syndod wrth iddi siarad â nhw, ac edrychodd ambell un i fyny at Cledwyn a'i ffrindiau. Agorodd ysbryd y dyn ifanc ei geg unwaith eto a gwneud y sŵn.

'Mae o'n ymddiheuro am fod yn drafferth, ac yn dymuno pob lwc i chi ar eich mordaith. Ond mae 'na un peth yr hoffai o gael, fel arwydd o'ch cyfeillgarwch...'

'Unrhyw beth!' bloeddiodd Cledwyn mewn buddugoliaeth a rhyddhad. 'Mae digon o fwyd yma, os mai dyna maen nhw am eu cael.'

Agorodd yr ysbryd ei geg eto, a gwnaeth y sŵn rhyfedd.

'Mae o'n dweud mai dim ond un peth fyddai'n gwneud y tro. Maen nhw'n dweud bod gan un ohonoch chi oriawr go arbennig.'

Caledodd stumog Cledwyn wrth glywed ei geiriau. Oriawr ei dad. Yr unig beth oedd ganddo ar ei ôl, yr un peth a wnâi iddo deimlo'n agos at y dyn a ddiflannodd o'i fywyd mor bell yn ôl.

'Na,' bloeddiodd Siân, wedi gwylltio. 'Unrhyw beth heblaw honno! Mae Cled wedi gwirioni efo'r watsh yna, a tydi o ddim yn deg gofyn iddo fo'i hildio hi.'

Cafodd Beti a'r ysbryd sgwrs fach arall, ac ysgydwodd y fôr-forwyn ei phen. 'Mae o'n dweud pe baech chi'n ffrindiau go iawn, mi fyddech chi'n ildio'r watsh. Dyna'r unig beth sydd am eu cadw nhw draw.'

Ochneidiodd Cledwyn, a'i galon yn drom. Roedd Siân yn iawn: Roedd o'n gwirioni ar y watsh fach. Byddai'n teimlo'n noeth hebddi, heb sôn am golli'r cysylltiad bach yma rhyngddo ef a'i dad.

'Maddeuwch i mi am ofyn,' meddai Mael yn dawel. 'Mae 'na lawer o siopau yn eich byd chi'n gwerthu watshys. Beth sy mor arbennig am honna?'

'Dad oedd piau hi,' atebodd Siân yn ddistaw. Bu tawelwch am ychydig.

Yn araf bach, heb allu coelio'n iawn yr hyn roedd o ar fin ei wneud, datglymodd Cledwyn y clo bach ar gefn ei watsh, a thynnodd hi oddi ar ei arddwrn. Teimlodd law fawr Mael ar ei fraich.

'Does dim rhaid i ti wneud hyn, wsti,' meddai'n sigledig. 'Rydan ni'n dallt yn iawn os wyt ti am gadw'r oriawr.' Roedd ei eiriau mor garedig, fel y perodd i lygaid Cledwyn lenwi â dagrau. Doedd dim pwynt gwadu'r peth. Byddai'r pedwar ohonynt yn siŵr o farw pe byddai Cledwyn yn dewis cadw'r oriawr.

Cododd wyneb llyfn y watsh, a'i rwbio ar ei foch, am y tro olaf. Teimlodd gryndod bach yn golchi drosto, ac, mewn un symudiad sydyn, taflodd yr oriawr dros fwrdd y llong, gan deimlo'i fol yn troi. Trodd i ffwrdd yn syth, heb allu edrych ar yr ysbrydion creulon a gymerodd yr eiddo mwyaf gwerthfawr oddi arno.

Symudodd Siân at ochr y llong, a chraffodd i lawr. 'Ydi hynny'n golygu...?' dechreuodd, cyn tewi'n sydyn. 'Maen nhw'n mynd, Cled. Mae'r ysbrydion am adael llonydd i ni rŵan.'

'O, diolch byth. Diolch *byth*!' meddai Gili Dŵ, gan sychu'r chwys oddi ar ei dalcen â chefn ei law. 'Fo'n i'n meddwl ei bod hi'n ta-ta afnon ni yn fan'na! Ew, Sandfa a Beti, sut yn y byd fedfwn ni ddiolch i chi? Ddowch chi i mewn am damed o fwyd? Mae 'na baced o fisgedi siocled dwi wedi eu cadw af gyfef achlysuf afbennig, a digon o sos coch i fynd efo nhw.'

'Diolch i ti am y gwahoddiad, boi, ond ma Sandra a finna newydd gael llond ein bolia o wymon a sardîns. 'Dan ni ar ddeiat, dach chi'n gweld.'

'Mae dawns y môr-fofynion mewn mis,' esboniodd Sandra, gan ysgwyd ei phen. 'Ac mae Betí a finna'n bwriadu cael gwared ar yr hen festia 'ma a gwisgo bicinis bach wedi eu gwneud o gregyn. Dim mwy o bysgod wedi eu ffrio, na chregyn gleision mewn siwgr.'

'Dydach chi ddim angen colli pwysa, siŵf!' ebychodd Gili Dŵ. 'Mae môf-forwyn i fod gael chydig o gig afni!'

Chwarddodd y môr-forynion, yn amlwg wrth eu boddau gyda Gili Dŵ. 'Dwn i ddim am hynny. Mae 'na for-forynion iau na ni o gwmpas y lle, rŵan, yn dangos cyhyra eu bolia i'r byd a'r betws fel petai ganddyn nhw ddim poen yn y byd. Fel 'na oeddan ni'n dwy cyn cael ein pysgod bach.'

Nodiodd Beti. 'Tydi rhywun byth yn cael ei siâp yn ôl ar ôl dodwy.'

'Twt lol,' wfftiodd Gili Dŵ.

'Diolch i chi am ein hachub ni,' gwenodd Siân yn

werthfawrogol. 'Roedden ni wir yn meddwl mai'r ysbrydion yna fydda'n diwedd ni.'

'Fel y deudon ni, rydan ni wedi addo i'r bachgen 'cw y byddan ni'n dod i gynnig help pe bai o'n dod i drwbl ar y môr. Biti bod rhaid iddo fo gael gwared o'i watsh, hefyd.' Gwenodd Beti ar Cledwyn.

'Ond dydyn ni heb gyfarfod o'r blaen,' ebe Cledwyn.

Craffodd Sandra a Beti ar Cledwyn am ychydig, cyn i Sandra droi at ei ffrind a dweud, 'Mae o'n edrych yn ofnadwy o ifanc, Bet.'

'Ond mae o mor debyg!'

'Yndi. Ddrwg gen i, 'ngwas i. 'Dan ni wedi dy gymysgu di efo rhywun arall mae'n rhaid. Mae gen ti efaill yn rhywle!'

'Croesi bysedd rŵan na ddown ni i unrhyw helbul arall ar y ffordd i Abermorddu,' meddai Mael yn llawn gobaith.

'O, peidiwch â phoeni am hynny,' gwenodd Sandra. 'Mi wnawn ni nofio o flaen y llong, cadw'n llygaid yn 'gorad am unrhyw drafferth.'

'Ew! Ydach chi'n siŵf?' holodd Gili Dŵ. 'Mae tipyn o ffofdd i fynd eto.'

Wfftiodd Sandra. 'Dim i ddwy ffit fel ni.'

'Mae ein cynffonau ni'n ei wneud o'n ddigon hawdd, wsti,' ychwanegodd Beti. 'A dweud y gwir, falle y bydd o'n help i ni gael gwared ar ein boliau!'

'Diolch i chi!' meddai Siân. 'Rydach chi'n anhygoel o glên.'

'Twt lol,' gwenodd Sandra. 'Mi wneith les i ni.'

Trodd y môr-forynion a phlymio i'r dŵr. Gwyliodd Cledwyn nhw'n ymddangos ar wyneb y dŵr o flaen trwyn y llong, ac yna, yn llyfn ac yn ddidrafferth, ail ddechreuodd yr *Una* symud drwy'r dyfroedd. Nofiodd Beti a Sandra o'u blaen, eu cynffonnau arian yn disgleirio dan yr haul. Roedd eu symudiadau'n rhyfeddol o osgeiddig. Gwyliodd Cledwyn y ddwy, gan drio teimlo'n falch nad oedd ei fywyd mewn peryg bellach, ond doedd dim pwynt... Roedd ei arddwrn yn rhyfeddol o ysgafn ar ôl ffarwelio â'i oriawr. Teimlai ei berfedd fel petai'n llawn o glymau bach, ac ni allai gael gwared o'r pydew du o golled yn ei fol. Ew, mi fyddai'n gwneud unrhyw beth i gael ei dad yn ôl!

'Wel, diolch byth am Sandra a Beti!' ochneidiodd Mael. 'Ro'n i wir yn meddwl ein bod ni am fynd i lawr yn y llong yma. A chditha, Cled... Mi wnest ti beth dewr iawn.'

'Gwell i ni beidio â dathlu'n rhy fuan,' rhybuddiodd Siân. 'Mae digon o beryglon o'n blaena ni, cofiwch. Reit ta, mi a' i i lawr i baratoi cinio.'

'Rydw i am fynd i orwedd am chydig. Rhwng neithiwr a bore 'ma, mi rydw i'n reit flinedig.' Diflannodd Mael ar ôl Siân i grombil y llong.

'Wyt ti'n iawn?' holodd Gili Dŵ, wrth setlo yn ymyl ei gyfaill. 'Mae'n wif ddfwg gen i dy fod ti wedi goffod abefthu ofiawf dy dad fel 'na.'

'Diolch,' atebodd Cledwyn, gan syllu allan i'r moroedd. 'Beth wyt ti'n meddwl, Gili Dŵ? Oes 'na obaith i gyrraedd Abermorddu?'

'Nid hynny sy'n fy mhoeni i, Cled bach,' crychodd

Gili Dŵ ei dalcen yn betrus. 'Be sy'n mynd i ddigwydd wedi i ni gyffaedd? Dyna'f cwestiwn. Falle y gwnân nhw saethu cyn i ni allu gadael y llong, hyd yn oed. Mi fyddwn ni'n ddiethf iddyn nhw, wedi'f cyfan.'

'Dwi'n siŵr na wnawn nhw hynny,' meddai Cledwyn, er nad oedd o'n siŵr o gwbl.

'Ac wedyn, unwaith y gwnân nhw weld mai ni – yf union fai maen nhw'n ofni a'u casáu – sydd af y llong... Wel, ydi o'n ffesymol i ddisgwyl iddyn nhw siafad â ni, ac yna i gfedu'f hyn 'dan ni'n ei ddweud?'

'Pam na ddylian nhw siarad efo ni?' holodd Cledwyn, gan deimlo'n swp sâl.

'Mewn byd delf-fydol, tfwy siafad mae setlo pob anghydweld. Ond yn y byd go iawn, tydi pethau yn aml ddim yn gweithio felly, nac ydi?'

Edrychodd Cledwyn allan ar y môr, a'i fol yn troi. Roedd Gili Dŵ yn llygaid ei le, wrth gwrs. Dyn a wŷr beth fyddai ei ffawd unwaith y cyrhaeddent Abermorddu. Edifarodd Cledwyn, am y tro cyntaf, nad oedd y siwrne ychydig yn hirach – unrhyw beth i oedi gorfod cyfarfod ag aelodau YCH.

Y bore hwnnw, doedd hyd yn oed chwerthin iach y môr-forynion ddim yn ddigon i godi calon Cledwyn: Roedd o wedi colli ei gysylltiad olaf â'i dad, ac roedd o'n sicr, erbyn hyn, bod rhywbeth llawer mwy dychrynllyd nag ysbrydion yn aros amdanynt yn Abermorddu.

PENNOD 7

Wnaeth Cledwyn ddim cysgu'n dda'r noson honno, er ei fod yn flinedig ar ôl gwneud dim byd drwy'r dydd. Roedd y tywydd yn fwyn a'r *Una*'n siglo'n araf wrth symud drwy'r dŵr, ond gorweddodd Cledwyn yn y tywyllwch, ei ddychymyg yn troelli wrth iddo feddwl am Abermorddu a'i thrigolion dieithr. Unwaith i un broblem gael ei datrys yma yng Nghrug, roedd problem arall yn codi yn ei lle. Roedd Cledwyn wedi cael llond bol ar boeni. Lawer gwaith yn ystod y nos, ymestynnodd ei law at ei arddwrn er mwyn cael cyffwrdd yn ei oriawr, cyn cofio ei bod hi, bellach, ar arddwrn rhyw ysbryd prudd yng nghanol y dyfroedd.

Fe syrthiodd i gysgu yn yr oriau mân, ei gwsg yn llawn hunllefau am ddŵr a thân. Roedd Cledwyn yn falch pan gafodd ei ddeffro gan waedd o fwrdd y llong. 'Tir! Tir!'

Neidiodd Cledwyn o'i wely a thynnu ei esgidiau am ei draed. Roedd gwely Siân eisoes yn wag, felly dilynodd y llais a dringodd y grisiau at fwrdd y llong.

Roedd Siân, Mael a Gili Dŵ yn sefyll ym mlaen y llong yn syllu tua'r gorwel. Ymunodd Cledwyn â nhw. Oedd, roedd tir i'w weld, ymhell bell i ffwrdd, ond symudai'r *Una*'n sydyn drwy'r dŵr. Dim ond stribed o dywyllwch ar y gorwel oedd y tir ar hyn o bryd, ond gwyddai Cledwyn y byddai'r *Una*'n cyrraedd Abermorddu cyn bo hir, ac y byddai'n rhaid iddo ef wynebu ei elynion.

'Gwell i ni gael rhywbeth i'w fwyta rŵan,' meddai Siân heb wên. 'Rhag ofn i ni gael trafferth dod o hyd i fwyd yn Abermorddu.' Rhag ofn i drigolion Abermorddu eu cloi nhw mewn cell heb fwyd na diod, meddyliodd Cledwyn, ond ddywedodd o ddim gair.

Roedd Cledwyn wrth ei fodd gyda thost wedi ei grasu ar dân agored, ac roedd Siân wedi taenu menyn a mêl arno yn union fel roedd o'n ei hoffi, ond am ryw reswm, ni fwynhaodd Cledwyn ei frecwast o gwbl. Glynodd y bara yn nhop ei geg fel petai'n glai.

'Hwyfach y bydd popeth yn iawn,' meddai Gili Dŵ yn ffug lawen, er mwyn torri ar y tawelwch. 'Falle bod aelodau YCH wedi sylweddoli eu camgymefiad yn bafod, ac y bydd 'na gfoeso mawf i ni!' Edrychodd Gili Dŵ ar wynebau anghrediniol ei ffrindiau. 'Wel, 'dach chi byth yn gwybod.'

Pan ddringodd y pedwar i fyny i fwrdd y llong ar ôl gorffen eu brecwast, roedd Abermorddu wedi agosáu yn ddychrynllyd o gyflym. Teimlodd Cledwyn ei stumog yn troi oherwydd ei nerfusrwydd.

Roedd yn dref eitha mawr, a'r harbwr yn ymestyn ar ei hyd fel neidr. Roedd yr adeiladau'n dal a thywyll, yn hen ffasiwn a budr. Angorwyd cychod o bob lliw a llun yn yr harbwr, a'u hwyliau, a fu unwaith yn wyn, yn llwyd ac yn frown. Doedd dim symudiad o gwbl, heblaw am y tonnau'n taro'n ysgafn yn erbyn wal yr harbwr.

'Mae'n dawel yma,' sylwodd Gili Dŵ. 'Wela i ddim 'fun copa walltog yn unman.'

'Mae'r harbwr yn brysur iawn fel rheol,' meddai

Mael a'i dalcen wedi crychu. 'Ble mae pawb?'

'Cuddiad maen nhw, yn siŵr i chi,' ebychodd Siân. 'Maen nhw wedi gweld llong ddieithr ac maen nhw'n aros i ni agosáu, ac wedyn, bam! Mi wnân nhw ymosod yn un haid mawr.'

Llyncodd Cledwyn ei boer yn nerfus. Roedd o wedi disgwyl torf o bobol, pob un yn gweiddi arno'n gandryll, a phicweirch neu ynnau'n pwyntio tuag ato. Roedd hyn, rhywsut, yn waeth na'r darlun roedd o wedi ei ddisgwyl.

Yn wir, wrth i'r *Una* arafu yn yr harbwr, daeth yn amlwg nad oedd unrhyw un o gwmpas o gwbl. Roedd y tawelwch a'r strydoedd gwag yn rhoi teimlad dychrynllyd a thywyll i Abermorddu, ac erbyn i'r *Una* ddod i stop, roedd Cledwyn yn chwysu mewn ofn.

Defnyddiodd Mael yr ysgol i gyrraedd yr harbwr, a dilynodd Siân. Edrychodd Cledwyn a Gili Dŵ ar ei gilydd. Roedd y ddau'n nerfus, a doedd gan yr un ohonyn nhw fawr o awydd crwydro Abermorddu.

'Dos di gynta,' meddai Cledwyn.

'Feit-o,' atebodd Gili Dŵ, gan drio bod yn ddewr. Diflannodd i lawr yr ysgol yn araf, gan gymryd gofal i beidio â disgyn.

Cyn iddo ymuno â'i ffrindiau yn yr harbwr, cymerodd Cledwyn gip sydyn dros fwrdd yr *Una*. Roedd yr hen long wedi bod yn hafan ddiogel iddynt ar eu taith, ac roedd Cledwyn yn hoff iawn ohoni. Roedd o'n mawr obeithio y byddai'n byw i deithio arni unwaith eto.

Esgynnodd Cledwyn yn ofalus i lawr yr ysgol, ei galon yn curo fel drwm. Fel arfer, byddai gorfod dringo i lawr ysgol gul yn ddigon i godi ofn ar Cledwyn, ond heddiw, prin y gwnaeth ystyried y perygl. Roedd yr ofn am be fyddai'n llechu yn Abermorddu yn gwneud i bob pryder arall edrych yn bitw a dibwys.

'Be rŵan?' holodd Siân, wedi i'r pedwar gyrraedd yr harbwr yn saff.

Ysgydwodd Mael ei ben mewn penbleth llwyr. 'Ro'n i wedi dychmygu llawer o bethau, ond nid hyn. Alla i ddim deall y peth! Ble yn y byd mae pawb?'

'Mam bach!' ebychodd Gili Dŵ yn ofnus. 'Dydach chi ddim yn meddwl bod ffywbeth wedi digwydd i'f holl bobol, ydach chi? Mae ffywun yn clywed yf hanesion mwya ofnadwy, yn tydi! Ffyw afiechyd, falle, neu... Neu... anghenfil?'

'Does 'mond un ffordd o ddod o hyd i'r gwirionedd,' meddai Siân. 'Dewch wir. Mae'n rhaid bod 'na rywun o gwmpas y lle. Unrhyw syniadau, Mael?'

Nid atebodd Mael am ychydig. Sylweddolodd Cledwyn yn sydyn pam bod ei ffrind yn edrych mor llwyd – roedd ei deulu a'i ffrindiau i gyd yn byw yn Abermorddu. Roedd hi'n amlwg bod rhywbeth od iawn wedi digwydd yma. Beth oedd wedi digwydd i deulu Mael?

'Dwi'n siŵf y bydd pawb yn iawn, Mael,' ebe Gili Dŵ, gan ddifaru sôn am afiechydon ac angenfilod. 'Wedi cysgu'n hwyf maen nhw. Neu... neu...'

'A' i â chi adre,' meddai Mael, heb edrych ar neb. 'Mi fydd Nain yn siŵr o fod yno. Dewch!'

Roedd prif stryd Abermorddu yn ddigon tebyg i un Aberdyfi – siopau bach difyr yr olwg yn wynebu'r môr. Edrychai Cledwyn drwy'r ffenestri budron wrth gerdded heibio. Sylwodd ar fferyllfa Moddion Morddu a'r holl ffisig lliwgar mewn poteli, yr hylifau ynddynt yn disgleirio fel gemau gwerthfawr; Losin Glan Môr â'r hambyrddau'n drwm dan bwysau da da a siocled; Crysau Crug, a siop ddillad â chrysau o bob lliw a llun yn y ffenest. Sylwodd Cledwyn ar ambell grys â phedair llawes neu ddau dwll pen. Ceisiodd ddyfalu a oedd trigolion fel hyn yn byw yn Abermorddu, neu a oedd y teiliwr yn un gwael am wneud dillad.

Trodd Mael oddi ar y brif stryd, a dilyn lôn fach gul, dywyll. Roedd y tai yma'n fawr ac yn grand, er bod y paent ar y drysau'n plicio a bod mwsogl yn tyfu ar y waliau gwynion. Wrth i'r pedwar ddilyn Mael i ganol Abermorddu, ni allent lai na sylwi fod y tai'n llai eu maint, ac yn llai cadarn yr olwg.

'*Neb* o gwmpas!' ebychodd Mael. 'Mae'r stryd yma'n berwi efo pobol fel arfer, yn mynd a dod i'r siopau. Fedra i ddim deall y peth.'

Trodd Mael gornel arall, i mewn i stryd gul hir â thai bach sinc, eu waliau'n gam, a phob un yn agos iawn at ei gilydd. Roedd hi'n amlwg yn ardal dlawd iawn, a phan stopiodd Mael o flaen un o'r tai, sylwodd Cledwyn mai dyma oedd ei gartref.

Roedd waliau sinc y tŷ yn gam. Fe gawsai ei beintio unwaith, ond erbyn hyn roedd y rhwd wedi lliwio'r paent gwyn yn llinellau oren hyll. Roedd rhywun wedi peintio enw'r tŷ mewn llythrennau taclus ar y drws pren tenau, 'Gwêl y Sêr'. Edrychai'r tŷ, a'r holl stryd i ddweud y gwir, fel pe byddai'n sicr o ddymchwel mewn gwynt cryf.

'Dyna enw del ar dŷ,' meddai Siân. Gwenodd

Mael, yn werthfawrogol ei bod hi wedi dod o hyd i'r un peth caredig y gellid ei ddweud am ei gartref.

'Nain oedd yn methu meddwl am ddim byd arall oedd yn werth ei nodi am y lle. Mae hi'n dweud ei fod o rhwng Gwêl y Sêr a Clyw y Pryfaid.'

'Mae dy nain yn swnio fel dipyn o gymeriad,' gwenodd Gili Dŵ. 'Siawns na chawn ni ei chyfaf-fod hi fŵan.'

'Gobeithio!' Gwthiodd Mael y drws i'w agor.

Tywyllwch! A hithau'n ganol dydd, roedd hi'n ddu fel pydew yn y tŷ. Roedd arogl llwch yn gryf, ond yn waeth na hynny oedd yr oglau tamprwydd, a hwnnw'n ddigon i droi stumog Cledwyn. Roedd y cwt cefn yn yr ardd yn Aberdyfi yn damp, ond yn ddim byd tebyg i hyn.

Er nad oedd unrhyw ran ohono eisiau camu i mewn i'r tŷ, dilynodd Cledwyn wrth i Mael ddychwelyd i'w gartref. Doedd o ddim am ei sarhau.

'Mae o'n ofnadwy, tydi,' meddai Mael yn llawn cywilydd wrth weld wynebau ei ffrindiau.

'Nac ydi!' mynnodd Siân. 'Mymryn yn dywyll, falla, ond ddim yn ofnadwy!'

Ond mi *roedd* o'n ofnadwy. Roedd y waliau sinc yn rhwd i gyd, a'r llawr yn bridd llychlyd. Roedd tyllau bach fel sêr yn y to, ac ar y wal bellaf roedd rhywun wedi ceisio gorchuddio twll yn y wal â llun mawr o olygfa fynyddig. Ond roedd y twll yn fwy na'r llun, ac felly gellid gweld llinellau tenau o olau o gwmpas ffrâm y llun.

Roedd gwely yn yr ystafell, neu yn hytrach,

blancedi wedi eu gosod ar ffurf hirsgwar taclus ar lawr. Roedd yna le tân bach hefyd, ond dim simdde, felly tybiodd Cledwyn y byddai hi'n siŵr o fod yn ofnadwy o fyglyd pan fyddai rhywun yn cynnau'r tân. Dim ond un cwpwrdd bach gwyn a phaent yn plicio oddi arno oedd gweddill dodrefn yr ystafell.

'Pwy sy'n byw yma i gyd, Mael?' holodd Cledwyn.

'Nain a minna', ac roedd fy chwaer fawr yn byw yma cyn iddi briodi.' Ceisiodd Cledwyn drio dychmygu tri pherson yn byw yn y gofod hwn oedd tua'r un maint â'i ystafell ymolchi yn ôl yn Aberdyfi, a chofiodd gyda thristwch am yr holl ystafelloedd gwag ym mhlasty Eiry.

'Be am dy rieni?' holodd Siân. 'Ydyn nhw'n byw yn y stryd yma hefyd?'

'Mae arna i ofn bod Mam a Dad wedi hen ddiflannu,' atebodd Mael yn dawel, gan osgoi edrych ar unrhyw un ohonynt. 'Mi wnes i ddeffro un bore, ac roedden nhw wedi diflannu, heb fynd â 'run dilledyn na bwyd efo nhw.'

'Yn union fel Dad!' ebychodd Cledwyn.

'O, Mael,' meddai Siân yn llawn cydymdeimlad.

'Mae'n iawn,' atebodd Mael yn ddewr. 'Rydw i'n byw efo fy nain, yn union fel rydach chi, ac mae hithau'n ddynes garedig, llawn hwyl. Weithiau, mi fydda i'n meddwl bod Mam a Dad wedi rhedeg i ffwrdd i rywle, a'u bod nhw erbyn hyn yn hapus mewn bwthyn bach yn y wlad.' Gwenodd Mael yn drist. 'Er, ym mêr fy esgyrn, rydw i'n gwybod mai nid dyna'r gwir. Mae llawer o bobl yma'n casáu Pobol y Coed a bydd llawer ohonon ni'n diflannu bob blwyddyn.'

Crynodd Cledwyn wrth feddwl am fyw mewn ffasiwn sefyllfa. Teimlai mor saff wrth fyw yn Aberdyfi, heb erioed boeni am gael ei herwgipio. Ac roedd clywed am rieni Mael wedi ei synnu. Roedd Cledwyn wedi dychmygu y byddai ei ffrind newydd yn byw mewn tŷ mawr, clyd, â dau riant yn dotio arno. Y gwirionedd oedd, er mor debyg oedd sefyllfa Mael ag ef ei hun, gwyddai Cledwyn fod bywyd Mael ganwaith gwaeth na'i sefyllfa ef.

'Does 'na neb yma fŵan, p'fun bynnag,' meddai Gili Dŵ yn dawel.

'Mae rhywbeth yn bod,' meddai Mael a chryndod yn ei lais. 'Tydi'r tai byth yn cael eu gadael yn wag.'

'Dwi'n siŵf bod 'na esboniad digon syml, wsti Mael,' atebodd Gili Dŵ. 'Paid ti â mynd i boeni am dy nain fŵan.'

Nodiodd Mael ond roedd hi'n amlwg ei fod yn poeni'n fawr.

'Lle nesa, ta?' holodd Siân.

'Dim syniad,' ysgydwodd Mael ei ben. 'Petawn i ond yn gwybod lle mae pawb wedi...'

'Mael?' torrodd Cledwyn ar draws ei gyfaill. 'Mael, ydi hwn yn golygu rhywbeth i ti?' Pwyntiodd at farciau yn y pridd dan draed.

Roedd rhywun wedi defnyddio bys, neu ddarn o bren, i wneud llun yn y pridd.

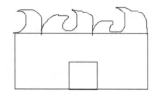

'Be af wyneb y ddaeaf ydi hwnna?' craffodd Gili Dŵ.

'Mae o'n edrych fel tŷ ar dân!' sylwodd Siân. 'Efallai mai dyna pam mae pawb wedi diflannu, achos bod 'na dân! Alla i ddim arogli mwg, chwaith...'

'Nid fflamau ydi'r rheina. Tonnau ydyn nhw.'

'Tonnau?' holodd Siân. 'Tonnau ar ben to?'

'Llun ydi hwn o'r hen theatr. Mae 'na siapiau fel tonnau ar y to. Ond tydi'r hen le heb gael ei ddefnyddio ers amser maith.'

'Theatr?' gwichiodd Gili Dŵ gan wenu. 'O, pliiiiis gawn ni fynd yno? Dydw i 'fioed wedi bod i'f theatf, ond fydw i wedi clywed gymaint am y lle. Y gwisgoedd! Y golau llachaf! Fydw i'n siŵf y byddwn i'n gwneud actof penigamp!'

'Mae'n edrych yn debyg y cei di weld dy theatr gynta, Gili Dŵ,' meddai Siân. 'Mae'r llun yma ar lawr yn amlwg yn arwydd gan nain Mael.'

'Hwfê!' Neidiodd Gili Dŵ mewn llawenydd. 'Piti nad ydw i'n gwisgo fy siwt ofen a bfown, a honno'n wisg mof ddfamatig... ond hidiwch befo.'

'Ydi o'n bell?' gofynnodd Cledwyn.

'Dim o gwbl,' atebodd Mael. 'Rhyw ddeng munud ar droed. Ond, wyddoch chi...' Edrychodd Mael o'i gwmpas gan adael ei frawddeg yn anorffenedig.

'Be?' gofynnodd Siân.

'Dim byd,' meddai Mael, heb ddal llygaid unrhyw un o'i ffrindiau. Mae'n rhaid ei fod o'n poeni'n enbyd am ei deulu, meddyliodd Cledwyn yn llawn cydymdeimlad.

'I ffwrdd â ni, ta!' meddai Siân. 'Dewch!'

Cerddodd y pedwar ffrind mewn tawelwch ar hyd y strydoedd gwag, a thywyllodd yr awyr uwch eu pennau wrth iddi ddechrau edrych fel glaw. Ar ôl cerdded drwy rai strydoedd, daethant i gyrion Abermorddu, ac ymestynnodd y lôn oddi tanynt yn syth at y gorwel. Ar ochr chwith y lôn, roedd glan y môr, y dŵr yn edrych yn llwyd a digroeso. Ond ni sylwodd unrhyw un fawr ddim ar y môr, gan fod yr hen theatr yn sefyll yn dal a thywyll ar ochr dde'r lôn. Roedd yr adeilad yn flêr ac yn hyll, a siapiau tonnau ar y to'n dechrau colli eu lliw. Doedd dim dwywaith amdani. Dyma'r adeilad oedd yn y llun ar y llawr yng Ngwêl y Sêr.

'Afgol,' ebychodd Gili Dŵ. 'Mae golwg af yf hen le, 'yn does? Côt o baent pinc, a smotiau gwyfdd af ei ben o, ac mi fydda fo'n gfêt. A chael gwafed af yf hen donnau gwifion yna. Foedd Siân yn iawn, maen nhw'n debycach i fflamau!'

'Shhh!' Rhoddodd Siân ei bys dros ei gwefus. 'Ydach chi'n clywed rhywbeth?'

Clustfeiniodd Cledwyn. Roedd Siân yn iawn. Deuai sŵn murmur o'r hen theatr. Sŵn lleisiau. Rhewodd stumog Cledwyn wrth glywed faint o leisiau oedd yno. Cannoedd. Mae'n rhaid bod yr hen le yn llawn dop. Ac roedd Cledwyn yn siŵr y byddai llawer ohonynt yn aelodau o YCH.

'Ydi hyn yn syniad da?' gofynnodd Cledwyn.

'Gwrandewch am funud,' meddai Mael. 'Dyw hyn ddim yn taro deuddeg...'

'Rydan ni wedi dod yr holl ffordd yma,' meddai Siân yn bendant. 'Mae'r amser wedi dod i ni wynebu'n gelynion, unwaith ac am byth.'

PENNOD 8

Cerddodd Cledwyn y tu ôl i Siân, gan agosáu at yr hen theatr. Clustfeiniodd, a chlywed sŵn parablu, fel pe bai cannoedd o bobol yn siarad ymysg ei gilydd cyn dechrau'r sioe. *Ni ydi'r sioe,* sylweddolodd Cledwyn mewn braw. Tybed ai trap oedd y llun bach yn y pridd yn nhŷ Mael i'w denu nhw yma? Roedd hi'n anodd iawn bod yn ddewr wrth ddychmygu sut ymateb gaen nhw gan drigolion Abermorddu.

Cyrhaeddodd Siân y drws, a oedd yn fawr a llychlyd, a stopio am eiliad, fel petai'n meddwl. Rhoddodd ei llaw ar y bwlyn, a'i droi.

'Siân! Paid!' gwaeddodd Mael, a'i lais yn torri fel petai dan deimlad. Ond roedd o'n rhy hwyr gan fod Siân eisoes yn camu drwy'r drws. Cymerodd Cledwyn anadl ddofn, a'i dilyn.

Wrth i Cledwyn a Siân, ac yna Mael a Gili Dŵ y tu ôl iddynt, gerdded yn araf drwy'r bwlch oedd rhwng y cadeiriau yn yr hen theatr, tawelodd y parablu, a throdd pob un i syllu arnynt. Roedd y theatr yn enfawr, a doedd dim un cadair wag yno. Gwridodd Cledwyn at ei glustiau, a mynnai ei lygaid grwydro dros wynebau'r rhai a syllai arno – dynion, merched a phlant, rhai yn flin, rhai yn amheus, a'r rhan fwyaf yn ofnus. Ond, nid pobol gyffredin mo'r rhain. Roedd gan rai bedwar llygad, ambell un â thrwyn hir fel pathew, a rhai eraill yn berchen ar gasgliad sylweddol o freichiau. Roedd gan un teulu dri phen yr un, pob pen ag wyneb hollol wahanol. Pâr arall oedd yn edrych fel dau flob brown anferthol, a chanddynt wynebau bach, bach; a chriw o bobol dal a thenau fel polion trydan, eu pennau'n edrych i lawr ar Cledwyn a'i ffrindiau. Torrwyd ar y tawelwch gan lais merch fach yn dweud 'mae gen i ofn, Mam,' cyn dechrau crio. Yn dilyn hynny, cafwyd sŵn fel sŵn ton yn dod i'w cyfeiriad: hisian milain, chwyrnu blin a nadu ofnus, yn uchel a dychrynllyd wrth i'r gynulleidfa ddangos eu casineb tuag at y pedwar.

'Wel, wel. O'r diwedd.' Daeth llais uchel, persain o'r llwyfan, a thawelodd y dorf wrth ei chlywed. Roedd y llais yn ddychrynllyd o gyfarwydd i Cledwyn, ac edrychodd i fyny a gweld y wên ffals, y gwallt melyn sgleiniog a'r llygaid porffor yn fflachio.

'Arianwen!' poerodd Siân yn llawn malais. Sylwodd Cledwyn fod y bobol a safai'n agos ati wedi dychryn, ac wedi symud i ffwrdd. Pobol ac arnynt *ofn* Siân? Roedd y peth yn wallgof. Fyddai hi byth yn brifo 'run enaid byw.

'S'mae, Siân?' gofynnodd Arianwen yn smala. 'A Cledwyn, dwi'n gweld dy fod ti'n dal i wrido. Diar annwyl. A twt, twt… Ydach chi'n dal i lusgo'r hen Gili Dŵ 'na i bob man efo chi?'

'Ych a fi!' meddai'r ddynes fach grwn oedd yn sefyll ar y llwyfan yn ymyl Arianwen. Roedd Cledwyn yn ei hadnabod – dyma'r ddynes a welsant ar y ffordd cyn iddynt ddod o hyd i Mina, yr un â'r gŵr tal, tenau ac eiddil. 'Sbiwch ar yr olwg sy arnyn nhw!'

'Chi?!' ebychodd Cledwyn.

'Ia, Cled, mae Luned yn un o arweinwyr Ymgyrch Cadw'r Heddwch. Mi wnaeth Derfel a hithau ddod o bell i gefnogi'r mudiad, ac mae hi'n danllyd iawn! Roedd 'na deimlad ei bod hi'n haeddu'r cyfle i arwain y mudiad – ar y cyd efo fi, wrth gwrs.'

'Wel wif,' meddai Gili Dŵ gan ysgwyd ei ben. 'Ffyfedd i chi foi swydd i fywun oedd ddim hyd yn oed yn gallu adnabod y gelyn. Mi gawson ni sgwfs efo Luned, a'i gŵf dfuan, ychydig ddyddiau 'nôl, ac foedd hi'n ddigon cyfeillgaf efo ni...'

'Ia, wel,' poerodd Luned yn ddig. 'Chi oedd yn anonest, yntê, efo'ch enwau ffug!'

'Fysa petha ddim wedi bod yn wahanol pe baen ni wedi rhoi ein henwau iawn, gan eu bod nhw'n anghywir ar y ffurflenni roedd YCH yn eu dosbarthu.'

'Mae camgymeriadau teipio'n bethau digon hawdd i'w gwneud! Rŵan, dyna ddigon o barablu,' cyfarthodd Arianwen yn uchel. 'Clymwch eu dwylo nhw, a'u rhoi ar y llwyfan i bawb gael cyfle i'w gweld nhw'n iawn.' Camodd tri dyn mawr o'u cadeiriau, a rhaffau budr yn eu dwylo. Doedd dim pwynt strancio, na cheisio rhedeg i ffwrdd. Ymestynnodd Cledwyn ei ddwylo at un o'r dynion, a chlymodd hwnnw raff yn dynn o gwmpas ei arddyrnau. Edrychodd Cledwyn ar y dyn tal a bochgoch, â gwallt cyrliog golau. Doedd o ddim yn edrych fel dyn drwg o gwbl. Ystyriodd Cledwyn, tybed a oedd o'n briod, ac a oedd ganddo blant? Oedd y dyn yma'n credu o ddifrif bod Cledwyn yn fygythiad i'w deulu?

'Ein clymu ni?' poerodd Siân wrth i ddyn arall lapio rhaff o gwmpas ei harddyrnau a'i thywys i fyny i'r llwyfan. 'Gwreiddiol iawn! A pheidiwch â chlymu Gili Dŵ na Mael, chwaith. Nid y nhw ydy eich problem chi, maen nhw'n byw yng Nghrug.'

Arweiniwyd Cledwyn a Gili Dŵ i'r llwyfan a'u gosod yn ymyl Siân. Safodd y tri mewn rhes, â'r dynion mawr yn agos atynt rhag iddyn nhw drio dianc. Dechreuodd y twrw godi eto, ac edrychodd Cledwyn allan ar y môr o wynebau a syllai arno, ambell un yn ysgyrnygu dannedd, eraill yn dal eu plant yn dynn yn eu breichiau, fel pe bai arnynt ofn mawr. Welsai Cledwyn erioed olygfa mor drist â hyn o'r blaen. Ystyriodd sut y byddai trigolion Aberdyfi yn ymateb pe bai estronwyr o'r gofod yn glanio yn y dref. Dychmygodd yr ofn a fyddai yn eu calonnau wrth wynebu creaduriaid mor ddieithr. Sylwodd fod Mael yn dal i sefyll yng nghanol y dyrfa ac nad oedden nhw wedi ei glymu o. Am ei fod o'n dod o Abermorddu, mae'n siŵr, meddyliodd Cledwyn.

'Mae Gili Dŵ yn ffrind i chi, felly mae o'n broblem,' poerodd Arianwen. 'Ond am Mael... wel, mae o'n fater arall.'

'Am ei fod o'n dod o Abermorddu?' gofynnodd Siân.

'O, nage!' gwenodd Arianwen. 'Chwarae teg iddo... Mi wnaeth Mael yn union fel ro'n i wedi gobeithio...'

Edrychodd Cledwyn draw at ei ffrind yn y dorf. Roedd Mael yn edrych i fyny ar Arianwen, a'i wyneb yn llawn syndod. 'Be...?'

Chwarddodd Arianwen yn filain. 'Ro'n i'n gwybod, dach chi'n gweld, y byddai rhywun yn siŵr o gydymdeimlo â'r gelyn. Mi wn i o brofiad, ble bynnag mae pobol aflan, maen nhw'n siŵr o gael dilynwyr.' Trodd ei gwên yn ystum hyll, cam ar ei gwefusau cochion. 'Ro'n i'n amau mai un o Bobol y Coed fyddai'n cydymdeimlo, a dweud y gwir.'

'Be...?' meddai Mael eto, ei wyneb yn crychu mewn penbleth a phoen. 'Roeddach chi'n gwybod 'mod i am fynd i rybuddio Siân a Cled?'

'Mae hynny'n amhosib,' bloeddiodd Gili Dŵ, ei lygaid porffor yn llydan fel soseri.

'Does gynnoch chi ddim syniad mor glyfar ydw i.' Gwenodd Arianwen eto, gan ddangos rhes o ddannedd claerwyn perffaith. 'Mae Pobol y Coed yn cwyno byth a hefyd eu bod nhw'n cael eu targedu gan weddill trigolion Abermorddu. *Dan ni ddim yn cael ein talu 'run fath*, neu *mae'n tai ni'n disgyn yn ddarnau*. Roeddach chi'n siŵr o deimlo cydymdeimlad dros y gelyn newydd.'

Roedd Arianwen yn iawn, meddyliodd Cledwyn. Doedd neb wedi deall mor glyfar oedd hi. Mae'n amlwg iddi dreulio amser maith yn cynllunio'r cwbl, heb sôn am fedru rhag-weld y byddai rhywun o Abermorddu'n teithio'r holl ffordd dros y dŵr i rybuddio Gili Dŵ ac Eiry. Roedd Arianwen yn fwy na chlyfar.

Roedd hi'n *athrylith*.

'Ond doedd Mael ddim yn bwriadu dod â ni 'nôl i Abermorddu,' poerodd Siân yn ddig. 'Dweud wrthon ni am fynd adre wnaeth o, a pheidio byth â dod yn ôl.'

'A phe byddech chitha wedi gwrando arno fo, mi fyddai Crug yn well lle o'r hanner,' cyfarthodd

Luned, ei hwyneb yn cochi fwyfwy gyda phob eiliad, 'a mudiad YCH wedi gwneud ei gwaith yn iawn. Byddech chi wedi aros yn eich priod le, heb boeni rhagor arnon ni.'

'Ond tydan ni ddim yn eich poeni chi,' meddai Cledwyn yn daer. 'Wnaethon ni ddim byd o'i le!' Edrychodd dros wynebau yn y dorf eto, a gweld y casineb a'r ofn yn dal i liwio'r bobol. Doedd dim pwynt. Fydden nhw byth yn ei gredu o, dim wedi'r holl gelwydd roedd Arianwen wedi ei ledaenu.

'Roeddwn i'n gwybod y byddech chi'n dod yma,' meddai Arianwen yn dawel, gan syllu i fyw llygaid Siân. 'Ro'n i'n gwybod eich bod chi'n bengaled, yn gwybod na fyddech chi'n medru dioddef meddwl am bobol yn eich casáu chi. Rydach chi mor hawdd i'ch darllen.'

Chwyrlïodd meddwl Cledwyn yn ôl i'r ogof dywyll lle dywedodd Mael a Gili Dŵ wrtho ef a'i chwaer am fudiad YCH, ac yn ôl i'r penderfyniad a wnaeth y ddau i ddod i Abermorddu. Roedd Arianwen yn iawn. Fydden nhw byth wedi medru dychwelyd i Aberdyfi, gan wybod bod eu mam a'u cyfaill yn gorfod cuddio rhag aelodau YCH am weddill eu bywydau.

'Dim ond mater o aros oedd hi yn y diwedd. Ro'n i'n gwybod y byddech chi'n ymddangos yma, a thân yn eich boliau.' Gwenodd Arianwen wrth ystyried ei chlyfrwch ei hun. 'Ro'n i'n gwybod y byddech chi'n dod o hyd i ryw ffordd i groesi'r môr, a phan welais i'r llong ar y gorwel, mi wyddwn i fod yr amser wedi dod. Anfonais neges o gwmpas y dre fod y gelyn ar eu ffordd, ac y dylai bawb ymgynnull yn yr hen theatr ar unwaith.'

Crynodd Cledwyn, gan deimlo'i fol yn troi. Roedd popeth a wnaeth o a'i ffrindiau yn ystod y dyddiau diwethaf wedi bod yn rhan o gynllun Arianwen. Ar ôl cysgu mewn ogof dywyll, oer, ar ôl teimlo'r holl ddaioni yn cael ei sugno o'i goesau yn y cylch o flodau, ar ôl taflu ei oriawr gwerthfawr i'r môr, roedden nhw wedi disgyn yma, i grafangau milain Arianwen.

'Mae'n rhaid i ni gael gwared arnyn nhw!' gwaeddodd llais o'r dorf.

'Maen nhw'n beryg bywyd, ac maen nhw'n dychryn ein plant,' bloeddiodd rhywun arall.

Safodd dyn byr, blin yr olwg ar ei draed. Pwyntiodd ei fys wrth siarad, a sylwodd Cledwyn fod ganddo ddegau o fysedd, yn arwain o'i law ac mewn cylch, fel breichled, o gwmpas ei arddwrn. 'Roeddach chi'n gwybod bod YCH yn eich casáu chi, ac anghofio am funud eich twpdra chi, beth yn y byd roeddach chi'n bwriadu ei wneud wrth ddod yma? Ymosod arnon ni i gyd?'

Ysgydwodd Cledwyn ei ben, a theimlo'r dagrau yn dechrau cronni yn ei lygaid. Roedd o'n methu dioddef meddwl bod y dieithriaid hyn yn ei gasáu a bod arni nhw ei ofn. 'Fydden ni byth wedi ymosod arnoch chi!'

'Byth!' ailadroddodd Siân yn daer. 'Roeddan ni'n meddwl y gallen ni siarad efo chi... esbonio nad oes bwriad gennym ni i gymryd drosodd eich byd chi...'

Gan ysgwyd ei ben yn drist, gadawodd Cledwyn i un deigryn bychan redeg i lawr ei rudd. Roedd yr holl beth yn swnio'n dwp, hyd yn oed i'w glustiau ef ei hun: Oedd y pedwar ohonyn nhw wir wedi disgwyl i bobol newid eu meddyliau, dim ond wrth glywed ychydig eiriau gan ddieithriaid? Teimlai Cledwyn erbyn hyn fod eu cynllun braidd yn ffôl.

Dechreuodd Mael gerdded yn araf drwy'r dorf, a dringodd y grisiau i'r llwyfan. Roedd pob llygaid yn y neuadd arno, yn dyfalu beth fyddai e'n ei wneud nesaf. Cerddodd Mael at y fan lle safai Cledwyn, Siân a Gili Dŵ, a safodd yn eu hymyl, heb ddal llygaid unrhyw un.

'Be bynnag dach chi am ei wneud i fy ffrindiau i, mi gewch ei wneud i minnau hefyd,' meddai'n bendant. 'Os ydi trigolion Abermorddu yn ddigon dwl i goelio Arianwen, bod y tri yma'n fygythiad i'w bodolaeth hwy, yna tydw i ddim eisiau byw yma yn eich mysg.'

Edrychodd Cledwyn draw at Siân. Roedd ei gruddiau'n wlyb, a'r dagrau'n syrthio'n llif ar ei siwmper. Gwyddai Cledwyn nad oedd o erioed wedi cwrdd ag unrhyw un mor ddewr â Mael yn ei fywyd.

'Mael, 'ngwas i,' meddai llais o gefn y dorf. Edrychodd Cledwyn draw, a gwelodd hen ddynes yng nghanol criw mawr o bobl od iawn yr olwg. Roedd eu crwyn yn frown a llinellau yn rhedeg i lawr eu hwynebau, pob un yn gwisgo dillad gwyrdd, a chanddynt ddail yn lle gwallt. Pobol y Coed, sylweddolodd Cledwyn, gan sylwi pa mor anhapus roedden nhw'n edrych. Roedd y ddynes oedd wedi gweiddi yn hen, y dail ar ei phen yn oren hydrefol. Syllai draw at Mael a phoendod mawr ar ei hwyneb crychiog.

'Nain,' atebodd Mael, a gwelodd Cledwyn y

poendod ar ei wyneb yntau. Meddyliodd Cledwyn am ei nain ei hun, a ffurfiodd lwmp galed yn ei lwnc.

'Paid â gwneud hyn, Mael,' meddai Siân. 'Mae gen ti deulu yma sy'n dy garu di. Paid ag ildio'r cyfan er ein mwyn ni.' Ond ni symudodd Mael yr un cam.

'Ooooo. Dyna ramantus. Rwyt ti a Siân yn agos iawn, dwi'n gweld,' meddai Arianwen yn goeglyd. 'Rwyt ti'n fwy twp nag rwyt ti'n edrych. A finnau'n meddwl bod gennych chi, Bobol y Coed galonnau, er eu bod nhw o bren.'

Dyma gamgymeriad cyntaf Arianwen, ac fe welodd Cledwyn o'r olwg ar ei hwyneb ei bod hithau'n sylweddoli hynny hefyd. Daeth synau hisian o'r gornel lle eisteddai Pobol y Coed, a gwingodd llawer ohonynt yn anesmwyth.

'Dim ond tynnu coes ydw i,' chwarddodd Arianwen yn nerfus, gan drio cuddio ei chamgymeriad.

'Tynnu coes?' holodd nain Mael, a fflach o ddicter yn ei llygaid. 'Tydw *i* ddim yn meddwl ei fod o'n ddoniol.'

'Wel, does gynnoch chi ddim synnwyr digrifwch felly, nac oes?' cyfarthodd Arianwen, cyn chwerthin yn nerfus eto. 'Rŵan, dewch i ni gael penderfynu be 'dan ni am wneud efo'r criw afiach yma...'

'Arhoswch funud,' cododd un arall o Bobol y Coed ar ei draed, dyn ifanc crwn â dail bychan yn tyfu'n agos at ei ben. 'Y peth ydi... dwi'n nabod Mael 'cw'n eitha da, ac mae o'n hogyn call. Os ydi o'n dweud bod y tri yma'n hollol ddiniwed... wel... dwi'n ei goelio fo.'

'Ha! Mae'n rhaid eich bod chithau hefyd yn dwp,'

gwaeddodd Luned yn filain. 'Mae hi'n amlwg wrth edrych arnyn nhw bod rhain yn... wahanol.'

Yr unig effaith gafodd hyn oedd i droi Pobol y Coed fwyfwy yn erbyn Arianwen ac YCH. 'Ond rydan ni i *gyd* yn wahanol,' meddai geneth ifanc dlws, â'i gwallt o ddail wedi ei blethu i lawr ei chefn. 'Mae Pobol y Coed yn wahanol i Drigolion y Graig: mae Trigolion y Graig yn wahanol i Hil y Trwynau: mae Hil y Trwynau yn wahanol i'r Blob-Bobol. Ac eto, tydan ni ddim yn ddieflig, nac 'dan?'

Aeth murmur o gytundeb drwy'r dyrfa o Bobol y Coed, ac er mai dim ond cornel fechan o'r neuadd oedd hynny, roedd y llygedyn bach yma o obaith yn golygu'r byd i Cledwyn. Yn hytrach na choelio'r celwydd roedd Arianwen wedi ei ledaenu, roedden nhw wedi rhoi eu ffydd mewn dieithriaid.

'Felly,' meddai Arianwen yn smala, gan gilwenu'n ffals. 'Ydw i i ddeall bod Pobol y Coed yn ochri gyda'r estroniaid hyn?' Nid atebodd unrhyw un, ond roedd llygaid Pobol y Coed wedi eu hoelio'n gadarn ar wyneb Arianwen. 'Wel! Diolch byth fod gweddill trigolion Abermorddu'n gallach na chi. Rŵan,' wynebodd Cledwyn a'i ffrindiau. 'Mae hi'n amser penderfynu beth i'w wneud efo chi.' Trodd at y dorf, gan gadw'i llygaid oddi ar gornel fach Pobol y Coed. Roedd pawb arall yn y neuadd wedi bod yn hollol dawel ers peth amser, ac wedi gwrando'n astud ar bob gair a ddywedwyd. Syllodd y dorf ar y llwyfan, heb ddweud gair.

'Dewch rŵan!' gwaeddodd Arianwen. 'Peidiwch â bod yn swil. Eu gollwng nhw yng nghanol y môr, falle, neu eu gadael nhw yng Nghoedwig yr Ellyllon?'

Tawelwch llwyr.

'W, neu beth am eu hanfon nhw i ganol Paith y Crafangau? Does neb wedi dod allan o fanno'n fyw!'

Dim ymateb.

'Deffrwch wir! Mae'r pedwar yma, yn enwedig y brawd a'r chwaer, yn bygwth ein bywydau ni, a'r cyfan dach chi'n wneud ydi ista yna'n dweud dim.'

Cododd llaw yng nghanol y dorf. Dyn tal, taclus yr olwg, â sbectol gron ar flaen ei drwyn. Roedd ei groen yn wynnach nag eira, yn disgleirio bron. 'Ym... meddwl oeddwn i... Dydyn nhw ddim yn *edrych* yn fawr o fygythiad, os ca i ddweud.'

Aeth murmur o gytundeb drwy'r dorf. Cododd dynes ifanc â dau drwyn gan weiddi, 'Dydyn nhw ddim fel roeddech chi wedi eu disgrifio nhw, Arianwen. Lle mae'r crafangau? Lle mae'r dannedd mawr miniog? Dim ond plant ydyn nhw!'

'Plant?' gwichiodd Arianwen. 'Maen nhw'n bwriadu cymryd drosodd!'

'Nac ydyn siŵf!' Rholiodd Gili Dŵ ei lygaid. 'Dydyn nhw ond yn dod yma i ymweld â'i mam, ac mae o'n feit galon-galed ohonot ti i'w ffwystfo nhw ffag gwneud hynny, Afianwen, os ca i ddweud. Bobol annwyl, tydi'f bobol yn y theatf 'ma 'mond wedi eu gweld nhw efs pum munud ac maen nhw wedi deall hynny'n syth bin!'

Heb yn wybod iddo, roedd Gili Dŵ wedi taro'r hoelen ar ei phen, a gwelodd Cledwyn wynebau'r bobol yn newid o fod ag ofn neu atgasedd i gydymdeimlo â Cledwyn a'i ffrindiau. Roedd o bron yn methu coelio'i lwc. Oedd pobl Abermorddu yn newid eu meddyliau mewn gwirionedd?

'Druan ohonyn nhw,' gwaeddodd hen ddynes fochgoch o'r dorf. 'Dim ond eisiau gweld eu mam maen nhw!'

Cododd llaw arall yn y dorf, a gwelodd Cledwyn mai Derfel, gŵr Luned, oedd eisiau siarad.

'Oes gen ti rywbeth call i'w ddweud am hyn i gyd, Derfel?' cyfarthodd Arianwen.

'Ym... wel... meddwl oeddwn i nad ydan ni ddim wir yn *gwybod* bod yr hen blant 'ma'n beryglus, Luned? Wedi derbyn gair Arianwen ydan ni.' Gwridodd Luned wrth glywed ei gŵr. 'A dweud y gwir, roedden nhw'n ymddangos fel pobol glên pan gwrddon ni â nhw gynta.'

'Be wyt ti'n ei wybod?' sgrechiodd Arianwen. 'Mae dy wraig dy hun wedi dweud ganwaith dy fod ti mor dwp â charreg! Dweud wrtho fo, Luned!'

'Mae o'n siarad mwy o synnwyr nag rwyt ti'n neud, 'ngeneth i.'

Cododd hen ŵr musgrell ar ei draed. 'Wyddoch chi be? Rydw i'n meddwl ein bod ni wedi bod braidd yn ffôl yn cefnogi Ymgyrch Cadw'r Heddwch. Tydi'r plant yma heb wneud dim o'i le.'

'Wrth gwrs eu bod nhw!' gwichiodd Arianwen.

'Dwyt ti 'mond yn ddig efo ni am i ni newid ffyrdd y Marach, ac nad wyt tithau ddim yn arweinydd arnyn nhw rhagor,' poerodd Siân. 'Rwyt ti'n gwybod yn iawn nad oes gynnon ni ddiddordeb mewn cymryd drosodd. Tydan ni ddim am newid Crug!'

'Sut y meiddiech chi?' Cododd merch ifanc grwn ar ei thraed. 'Dweud y ffasiwn gelwyddau, a chodi ofn ar bob un wan jac ohonon ni?'

'Mae holl blant bach Abermorddu wedi gorfod aros yn eu tai ers misoedd, am fod ar eu rhieni nhw ormod o ofn eu hanfon nhw allan i chwarae,' ychwanegodd nain Mael, y dail ar ei phen yn crynu wrth iddi ysgwyd ei phen. 'Rydach chi wedi dwyn eu rhyddid nhw! Heb sôn am gymryd mantais ar natur ffeind Mael bach...'

'Mi ddeudais i fod 'na rywbeth bach ddim yn iawn am Arianwen, 'yn do,' meddai Derfel yn wybodus. 'Mi ddyliet ti wrando mwy arna i, Luned.'

Roedd ymateb Luned yn un o'r petha mwya annisgwyl a welodd Cledwyn ers talwm. Yn lle dadlau â'i llipryn o ŵr, gwridodd Luned a nodio'n dawel. 'Ia, wel, mae pawb yn gwneud camgymeriadau weithiau, yn tydi.' Brysiodd draw at Siân a datglymodd y rhaffau am ei harddyrnau. 'Sorri am y camddealltwriaeth, bois.' Prin y medrai Cledwyn gredu ei bod hi'n syrthio ar ei bai mor rhwydd, a gweddill trigolion Abermorddu o ran hynny. Tybed a fyddai pobl ei fyd ef wedi bod mor barod i gyfaddef eu bod yn anghywir?

Rhwbiodd Siân ei harddyrnau, ac aeth ati i ddatod rhaffau Cledwyn, wrth i Mael wneud yr un fath i Gili Dŵ.

'Dydach chi ddim am eu gadael yn rhydd!' gwichiodd Arianwen yn gandryll.

'Falle ei bod hi'n syniad ei thaflu *hi* i ganol Paith y Crafangau?' cynigiodd llais o'r dorf.

Edrychodd Arianwen o'i chwmpas, ei llygaid yn llydan a gwyllt fel anifail wedi ei gaethiwo. Yn sydyn, gwibiodd i lawr y grisiau o'r llwyfan a rhedodd drwy'r dorf a thrwy'r drws yng nghefn y neuadd. Ni cheisiodd unrhyw un ei stopio, gan gymryd camau am yn ôl oddi wrthi, yn union fel y gwnaethon nhw pan gyrhaeddodd Cledwyn a'i ffrindiau.

Edrychodd Siân a Cledwyn ar ei gilydd, cyn neidio oddi ar y llwyfan a gwibio drwy'r dorf ar ôl Arianwen. Edrychodd trigolion Abermorddu arnyn nhw mewn penbleth, ond roedd yn rhaid i Cledwyn gael gwybod pam yr aeth Arianwen i'r ffasiwn drafferth i'w niweidio ef a'i chwaer.

Safai Arianwen a'i chefn atynt, ei gwallt golau hardd yn chwifio'n ysgafn yn yr awel wrth iddi edrych i gyfeiriad y moroedd llwyd. Trodd Arianwen wrth glywed sŵn traed Siân a Cledwyn.

'Mi wnaethoch chi newid y Marach,' meddai Arianwen yn dawel, a gwelodd Cledwyn fod dagrau yn llenwi ei llygaid. Roedd 'na rywbeth yn ei llais a'i llygaid oedd yn gwneud i Cledwyn feddwl nad oedd hi yn ei hiawn bwyll, ac er iddi wneud ei fywyd yn uffern eleni a'r llynedd, teimlodd fymryn o biti drosti. 'Wedi i chi fod yma'r tro dwytha, doedd gan y merched eraill ddim diddordeb mewn hela na lladd. A dyna'r unig betha ro'n i'n gallu eu gwneud yn dda.'

'Felly mi wnaethoch chi adael y Marach?' gofynnodd Cledwyn.

'Naddo! Mi ges i fy niarddel ar ôl methu cadw at y rheolau newydd. Bod yn heddychlon! Pa hwyl ydi hynny? Doedd fawr o ots gen i erbyn hynny! Doedden nhw'n gwneud fawr ddim heblaw pigo blodau a siarad am eu teimladau.' Edrychai Arianwen fel petai'n clywed arogl drwg. 'Ac wedyn, wrth grwydro Crug, mi welais i Gili Dŵ efo dynes hardd â gwallt tywyll – roedd hi'n amlwg yn fam i chi, a hithau mor debyg i Siân. Am gyd-ddigwyddiad gwych, yntê, i mi ddigwydd taro i mewn iddyn nhw. Mi guddiais i mewn gwrych a'u clywed nhw'n siarad, a dyna sut ces i wybod eich bod chi heb gael eich gwenwyno wedi'r cyfan. Roeddech chi'n fyw ac yn iach ac wedi gwneud ffŵl ohona i. Roedd y gweddill yn hawdd. Dod i Abermorddu, adrodd rhyw stori am sut roeddech chi'n bwriadu cymryd drosodd y wlad. Wnaeth neb fy amau i,' gwenodd Arianwen. 'Roedd o'n hawdd.'

'Felly mi benderfynaist ti ddial arnon ni,' ebe Siân yn galed.

'Do,' gwenodd Arianwen yn filain. 'Ac roedd cael bod yn arweinydd ar YCH yn grêt. Roedd gan bobol barch tuag ata i. Roedd gen i bwrpas a phŵer unwaith yn rhagor.'

'Ond wnaethon ni ddim byd o'i le,' meddai Cledwyn. '*Chi* oedd yn bwriadu'n bwyta *ni*.'

'Hy,' ebychodd Arianwen. 'Dyna'r union fath o beth roedd y Marach wedi dechrau dweud wrth ei gilydd.' Ysgydwodd ei phen yn ddirmygus. 'Felly… be rŵan? Ydach chi am droi YCH yn fy erbyn i, fy anfon i i Baith y Crafangau i bydru?'

'I be?' meddai Siân yn dawel. 'Tydan ni ddim yn bobol sbeitlyd, cas fel ti, Arianwen. A beth bynnag, mae pawb yn gwybod mai hen gelwyddgi wyt ti rŵan.'

Syllodd Arianwen ar Cledwyn a Siân am ychydig, ei hwyneb yn llawn malais. Yna, trodd ar ei sawdl a dechrau cerdded yn araf ar y lôn a arweiniai o Abermorddu, ei chefn wedi crymu'n siâp 'r', a'i thraed yn llusgo ar hyd y llawr. Edrychai'n greadures druenus, heb gyfaill yn y byd.

'Tyrd,' meddai Siân, gan droi'n ôl at yr hen theatr.

'Gwrandewch, bawb,' meddai Siân wrth gerdded yn ôl drwy'r dorf, gan swnio'n awdurdodol dros ben. Tawelodd pawb eu mân siarad i wrando arni. Dringodd y grisiau i'r llwyfan at Mael a Gili Dŵ (roedd Luned bellach yn ymyl ei gŵr), a throdd i wynebu'r gynulleidfa. Dilynodd Cledwyn ei chwaer gan drio peidio â thynnu sylw ato'i hun.

'Mae Arianwen wedi lledaenu llwyth o gelwyddau, fel dach chi'n gwybod, ac mae'r hen jadan wedi pardduo'n henwau ni, ac wedi gwneud ffyliaid ohonoch chi,' meddai Siân yn ddwys.

'Be wnaethoch chi efo hi?' gofynnodd gŵr ifanc, â dannedd hir yn ymestyn i lawr at ei ên. 'Ei thaflu hi i'r môr, ie?'

Ysgydwodd Siân ei phen. 'Does 'na ddim diben dial arni, wnaiff hynny ddim lles i neb. P'run bynnag, mae pawb yn gwybod mai hen gelwyddgi ydi hi rŵan. Ond falle, gan ein bod ni i gyd yma efo'n gilydd, ei bod hi'n syniad i ni drafod.'

'Trafod be?' holodd Derfel.

'Wel, er bod YCH yn hen fudiad gwirion, mae Ymgyrch i Gadw'r Heddwch yn syniad da, 'yn tydi? Ac er nad oes gen i na Cled ddiddordeb mewn byw yma, efallai y byddai'n syniad dod i gytundeb i sicrhau na fydd y math yma o beth byth yn digwydd eto.'

'Ew! Da ydi hon!' ebychodd Luned. 'Dyna chi beth call. Sortio petha allan, cyn bod 'na broblem hyd yn oed.' Syllodd Cledwyn arni mewn penbleth. Roedd hi am eu gwaed nhw bum munud yn ôl!

'Felly, be am i Cled a finna gytuno i beidio â thrio newid Crug, ac i barchu rheolau a thraddodiadau'r wlad tra 'dan ni'n ymweld.' Aeth murmur o gytundeb drwy'r gynulleidfa. 'Efallai y byddai'n syniad i rywun roi'r rheolau 'ma ar bapur...'

'Mi wna i,' meddai dynes flêr ganol oed o ganol y dorf, gan ymestyn papur ac ysgrifbin o'i gwallt pinc tal oedd yn nyth ar ei phen.

'Grêt!' Gwenodd Siân arni. 'Ac mae'n well i ni ychwanegu na ddown ni ag un o'n ffrindiau yma i Grug – mi fyddai hynny'n rhy beryglus.'

'Ond beth amdanoch chi?' holodd nain Mael. 'Dydach chi'n ennill fawr ddim o'r cytundeb yma!'

'Rydan ni'n disgwyl gallu dod i Grug heb gael ein targedu,' ebe Siân yn bwysig. 'Dim mudiadau celwyddog i'n cadw ni allan, dim ymgyrchoedd di-sail. Ac, wrth gwrs, mae disgwyl i'n teulu a'n ffrindiau ni yma yng Nghrug gael llonydd.'

'Mi wna i drefnu bod neges yn cael ei anfon yn syth i Balas Eiry yn esbonio'r digwyddiadau diweddar,' meddai merch ifanc â sbectol werdd a gwefusau trwchus oedd yn gorchuddio hanner ei hwyneb. 'Ac i Bendramwnwgl hefyd. Mi wna i ddweud wrth aelodau YCH ddod yn ôl. Mi fydd y gwarchae ar gartrefi eich mam a Gili Dŵ ar ben cyn nos.'

'Haleliwia!' ochneidiodd Gili Dŵ. 'Mi ga i fynd adfe o'f diwedd!' Chwarddodd ambell un, a theimlodd Cledwyn yr awyrgylch yn ysgafnhau.

'Mae 'na un peth arall yr hoffwn i ei drafod,' meddai Siân, a'i hwyneb yn difrifoli. Tawelodd y dorf. 'Pobol y Coed.'

Edrychodd y gynulleidfa ar ei gilydd mewn syndod. Aeth murmur o gyffro drwy gornel Pobol y Coed. Edrychodd Cledwyn ar Mael a safai ar gornel y llwyfan, a'i lygaid yn pefrio.

''Dan ni'n gwybod eu bod nhw'n cael eu trin yn wael yma, bod pawb yn meddwl nad ydyn nhw gystal â'r gweddill ohonoch chi. 'Dan ni newydd weld y tai maen nhw'n gorfod byw ynddyn nhw: dim mwy na chytiau, i ddweud y gwir.' Tawelodd y dorf, a syllodd pawb ar Siân.

'Does dim rhaid i ti wneud hyn,' meddai Mael yn dawel.

Anwybyddodd Siân ei eiriau. 'Dydw i ddim yn disgwyl i chi newid eich ffyrdd dros nos, dim ond i feddwl am yr hyn sy'n digwydd yma. Ydi o'n deg?'

Cododd dyn canol oed, â sbectol ar flaen ei drwyn, a'i dalcen wedi crychu mewn penbleth. 'Dydw i ddim yn deall. Trwy syrthio ar ein bai a chefnu ar ddaliadau Arianwen, rydym ni newydd sicrhau eich rhyddid chi. Ac rydych *chi*'n gofyn am ffafrau?'

'Chi wnaeth goelio Arianwen yn y lle cyntaf. A dim gofyn am ffafrau ydan ni. Trio eich cael chi i weld mor annheg ydi sefyllfa eich cymdogion.'

'Ond dydyn nhw ddim yn bobol go iawn, hyd yn

oed!' Gwgodd dynes ifanc gydag un llygad mawr yng nghanol ei thalcen o'r rhes flaen. 'Mae eu calonnau nhw wedi eu gwneud o bren. Pam dylai hanner coed ddisgwyl cael eu trin yr un fath â phobol?'

'Achos eu bod nhw'n ddoeth, a chafedig, a thfiw,' meddai Gili Dŵ.

'A chystal ag unrhyw un arall,' ychwanegodd Siân.

Bu tawelwch am ychydig eiliadau wrth i'r dorf feddwl. Dechreuodd Cledwyn boeni eu bod nhw wedi mynd un cam yn rhy bell drwy ofyn i bobol Abermorddu newid eu ffyrdd. Wedi'r cyfan, roedden nhw'n lwcus i ddianc yn fyw.

'Ydi o'n wir eich bod chi'n bwyta pridd?' gofynnodd bachgen bach penfelen yn y drydedd res i Mael.

'Nac ydi,' chwarddodd Mael. 'Rydan ni'n bwyta'r un pethau â chi, dim ond bod angen mwy o ddŵr arnon ni.'

'Rydw i wedi clywed nad ydych chi'n medru mynd i unlle'n agos at dân, rhag ofn i chi losgi,' ebe geneth yn ei harddegau. 'A'ch bod chi'n pydru ar ôl cawod o law.'

'Wel, rydan ni'n gallu mynd mor agos â chithau at dân,' atebodd Mael. 'Wedi'r cyfan, mi fyddech chithau hefyd yn llosgi mewn fflamau. Ond ydan, rydan ni'n pydru os byddwn ni allan yn y glaw am gyfnod rhy hir. Mae gofyn i ni fod yn ofalus iawn.'

Cododd un o enethod bach y coed ar ei thraed, ac edrychodd ar y dorf. 'Ydi o'n wir fod esgyrn pobol cig a gwaed wedi eu gwneud o sialc?'

Chwarddodd y dorf, a diolchodd Cledwyn fod

yr eneth fach wedi siarad. Roedd hi wedi torri ar y tensiwn.

'Dyma'r broblem!' ebe Siân. 'Dydach chi ddim wir yn nabod eich gilydd! Oes, mae 'na wahaniaethau rhwng Pobol y Coed a'r gweddill ohonoch chi, ond rydan ni i gyd yr un fath yn ein calonnau. Pren neu beidio. Mi ddylech chi ymuno â'ch gilydd er mwyn gwneud Abermorddu yn lle braf, heb densiwn, lle mae pawb yn gyfartal.'

Safodd dyn blêr yr olwg, oedd yn gwisgo oferôls streipiog pinc a phiws, ar ei draed. Edrychai'n nerfus iawn wrth siarad o flaen torf mor fawr. 'Adeiladwr ydw i. Mi fyddwn i'n fwy na bodlon picio draw i gael golwg ar dai Pobol y Coed, a thrwsio unrhyw beth sydd angen ei wneud. Yn rhad ac am ddim... i ddangos ein bod ni o ddifri am eu derbyn nhw i mewn i'n cymuned ni.'

Safodd dynes ganol oed â chanddi wallt amryliw ar ei thraed. 'Plymiwr ydw i. Mi af inna hefyd.'

'A finna... Gosod ffenestri ydi 'ngwaith i.'

'Ac mi wna i helpu i beintio'r tai!'

'A minnau!' Cododd dynes grand iawn yr olwg ar ei thraed, ei chôt ffwr yn drwm ar ei hysgwyddau. 'Fi sy'n berchen ar hanner siopau Abermorddu, ac mi wna i'n siŵr bod 'na ddigon o waith â thâl da i Bobol y Coed!'

'Haleliwia!' Roedd nain Mael yn methu coelio ei chlustiau. 'Mi wnewch chi'r holl bethau yma i Bobol y Coed, heb dâl? Ond pam?'

'Yn un peth, i ymddiheuro am eich trin chi mor ofnadwy, dim ond am eich bod chi'n wahanol i ni,' esboniodd yr adeiladwr yn yr oferôls streipiog. 'Ond hefyd, er mwyn i ni i gyd deimlo ein bod ni'n gymuned, yn lle ffraeo ymysg ein gilydd. Mae'r holl dref angen chydig o baent a sylw. Os gweithiwn ni efo'n gilydd, mi wnawn ni droi Abermorddu'n lle croesawus, yn dref y byddwn ni i gyd yn medru bod yn falch ohoni.'

'Parti stryd!' bloeddiodd nain Mael yn fuddugoliaethus, a chlapiodd a chwarddodd pawb. Cododd y dorf ar eu traed, gan adael y neuadd yn swnllyd, a daeth sŵn band pres yn chwarae tiwniau llawen o'r tu allan yn fuan wedyn.

'Ewadd annwyl,' ebychodd Gili Dŵ, wrth i'r olaf o'r dorf adael y theatr. 'Foedd yf adeiladwf 'na'n siafad yn dda. Mi fo i flwyddyn iddo fo, ac mi fydd o'n Faef Abefmofddu.'

Gwenodd Cledwyn. 'Fedra i ddim coelio'r peth. Nid yn unig mae YCH wedi callio, ond mae Pobol y Coed wedi cael eu derbyn o'r diwedd. Siân, mi ddyliet ti fod yn Brif Weinidog!'

'Mae gen i deimlad na fyddai newid arferion oes mor hawdd yn ein byd ni, Cled. Y cwbl roedd ei angen ar drigolion Abermorddu oedd rhywun i ddweud wrthyn nhw eu bod nhw'n ymddwyn yn ffôl. Fedra i ddim coelio'i fod o wedi bod mor hawdd,' meddai Siân

'Doedd o ddim yn hawdd,' mynnodd Mael, ei lygaid wedi eu hoelio ar rai Siân. 'Nid pawb fyddai â'r dewrder i gamu o flaen tref gyfan i ddweud wrthyn nhw mor wirion oedden nhw wedi bod. Mi fydden nhw wedi gallu troi arnat ti, ond mi wnest ti ddweud, beth bynnag. Rwyt ti'n anhygoel.' Heb ddweud gair arall, camodd Mael at Siân, a chyffwrdd yn dyner yn ei gên. Edrychodd Siân i fyny, a chusanodd y ddau, cyn gwahanu a syllu i fyw llygaid ei gilydd. 'Rydw i am i ti wybod, Siân, na wna i byth dy anghofio di.'

Sniffiodd Gili Dŵ. Roedd dagrau mawr tewion yn powlio i lawr ei ruddiau wrth glywed y siarad rhamantus.

'A hefyd, rydw i am i ti wybod 'mod i wedi bod eisiau dy gusanu di o'r foment cynta i mi dy weld ti.' Gwenodd Siân ar Mael trwy ei dagrau.

'Welais i fioed y ffasiwn beth.' Chwythodd Gili Dŵ ei drwyn i mewn i'w lawes. 'Mael, dylet di sgwennu bafddoniaeth!'

Camodd Siân a Mael i lawr o'r llwyfan gan wenu. Winciodd Cledwyn ar ei chwaer. Roedd hi'n anghyffredin iawn i weld Siân yn crio, ac roedd gweld ei gruddiau gwlyb a'i thrwyn coch yn gwneud i Cledwyn deimlo'n warchodol iawn ohoni. Gwyddai bod yr hyn a ddigwyddodd rhyngddi hi a Mael yn bwysig iawn i Siân.

'Lle nesa, ta?' gofynnodd Cledwyn. 'Yn ôl i'r *Una*, a throi am adre?'

'Dim eto,' gwenodd Mael yn ddireidus. 'Mi glywsoch chi beth ddywedodd Nain, yn do? Parti!'

PENNOD 9

Roedd Abermorddu wedi ei drawsnewid. Lle bu'r strydoedd yn llwyd a gwag, roedd trigolion Crug yn goleuo'r holl le gyda'u chwerthin a'u dawnsio a'u dillad lliwgar. Dechreuodd y band pres chwarae cerddoriaeth fywiog, ac roedd llawer o'r bobol yn clapio'u dwylo ac yn dawnsio'n egnïol, gan daflu eu breichiau a'u coesau i rythm y gerddoriaeth.

'Dewch!' Amneidiodd Mael ar Siân, Cledwyn a Gili Dŵ i'w ddilyn i gyfeiriad stryd Pobol y Coed. Fe gymerodd hi hydoedd i'r pedwar gerdded drwy'r strydoedd, wrth iddyn nhw gael eu stopio'n gyson gan bobol oedd eisiau ysgwyd eu dwylo. Teimlai Cledwyn fel pe bai'n seren ffilm enwog, a phawb eisiau siarad ag o. Roedd Siân yn wych am ymdrin â phobol, yn gwenu'n ddel ar bawb, ond gwrido wnâi Cledwyn bob tro y byddai rhywun yn ei gyfarch.

Ymhen hir a hwyr, daeth y pedwar yn ôl i'r stryd lle roedd Pobol y Coed yn byw. Doedd y stryd ddim yn edrych hanner cynddrwg rŵan, gan ei bod hi mor llawn o bobol hapus yn chwerthin ac yn dawnsio. Roedd arogl coginio hyfryd yn dod o rywle, ac roedd y band pres wedi eu dilyn yr holl ffordd o'r theatr.

'Dyma nhw!' gwaeddodd nain Mael, gan ruthro atynt. Cydiodd yn Siân a'i chusanu'n frwd, cyn troi a gwneud yr un peth i Cledwyn. Roedd hi'n arogli fel da da, meddyliodd Cledwyn wrth drio sychu hoel ei sws oddi ar ei foch heb iddi sylwi.

'Diolch, diolch, diolch i chi! Ro'n i'n siŵr na welwn i Mael bach byth eto, a doeddwn i'n sicr ddim yn disgwyl yr holl drafodaeth am Bobol y Coed!'

'Iesgob annwyl,' meddai Gili Dŵ gan wenu'n llydan ar ôl derbyn cusan gan nain Mael. 'Tydw i heb gael sws fel 'na efs... efs... wel, efioed, i ddweud y gwif!'

'Dyma Nain,' cyflwynodd Mael, ond twt-twtiodd yr hen wraig.

'Galwch fi'n Seraffina,' mynnodd. 'Mae Nain yn gwneud i mi swnio mor hen! Mae'n bleser i'ch cyfarfod chi.'

'Sefaffina!' ebychodd Gili Dŵ. 'Dyna enw tlws!'

'Wel, mi roeddwn i'n dlws, amser maith yn ôl,' atebodd Seraffina'n ddireidus. 'Cyn i'r crychau yn fy nghroen wneud i mi edrych fel hen afal yn pydru.'

'Twt lol!' wfftiodd Gili Dŵ. 'Fydach chi'n bictiwf o bfydfefthwch, siŵf!'

Chwarddodd Seraffina. 'Tyrd efo fi, Gili Dŵ, i ti gael cyfarfod â rhai o fy ffrindiau. Mi fyddan nhw wrth eu boddau efo cymeriad fel ti.' Diflannodd Gili Dŵ a Seraffina i ganol cylch o ferched â dail oren yn tyfu ar eu pennau, a chroesawyd Gili Dŵ'n wresog i'w plith.

'Cledwyn?' Trodd Cledwyn i weld dwy eneth ifanc yn ei wylio. Roedd y dail ar eu pennau'n sgleinio, fel petaent newydd eu golchi, ac roeddent wedi eu gwisgo'n ddel mewn ffrogiau gwyrddion fel mwsogl. Roedd gan un ohonynt flodyn gwyn ymhlith y dail ar ei phen.

'Pabi ydw i, a dyma Doli, fy ffrind gorau,' meddai'r un â blodyn yn ei gwallt. 'Meddwl oeddan ni, fyddet ti'n fodlon rhoi dy lofnod i ni?' Roedd gan Pabi bapur a phensil yn ei dwylo.

'Fy llofnod i?' gofynnodd Cledwyn mewn penbleth. 'I be?'

Chwarddodd Doli. 'I ddangos i bawb yn yr ysgol, siŵr!'

'Rwyt ti'n enwog rŵan,' ychwanegodd Pabi.

'Enwog?' tagodd Cledwyn. 'O, na, dydw i'm yn meddwl!'

'Wyt, siŵr!' mynnodd Pabi. 'Mi fydd pobol yn siarad amdanat ti a dy chwaer a Gili Dŵ am flynyddoedd. Y brawd a chwaer a achubodd Bobol y Coed. Mae o'n swnio fel chwedl allan o lyfr, tydi?'

'Ydi!' cytunodd Doli. 'Mae rhywun yn siŵr o sgwennu amdanoch chi. Mi fydd gan blant bach ofn Arianwen am genedlaethau i ddod!'

'Ydi o'n wir fod Arianwen wedi bwriadu dy fwyta di a Gili Dŵ?' gofynnodd Pabi. Nodiodd Cledwyn. 'Sut bobol oedd y Marach?'

Ceisiodd Cledwyn feddwl am ffordd o'u disgrifio, ond roedd hi'n amhosib dod o hyd i'r geiriau.

'Ddoi di i eistedd efo ni?' gofynnodd Pabi, a gwridodd Cledwyn. 'I ti gael dweud yr hanes am y Marach.'

'Ac am y byd arall,' ychwanegodd Doli. 'Ac am dy fam. Maen nhw'n dweud ei bod hi'n iarlles hardd.'

Pendronodd Cledwyn. Er ei fod o'n byw gyda dwy fenyw, doedd o ddim yn gyfarwydd â sgwrsio fel hyn gyda genethod o'r un oed ag o. Roedd y bechgyn a'r merched yn aros yn ddigon pell oddi wrth ei gilydd ym Mlwyddyn 7 yn Ysgol Tywyn.

'Dos efo nhw wir!' gwenodd Siân ar ei brawd. Doedd Cledwyn heb sylweddoli ei bod hi'n gwrando ar y sgwrs.

'Be wnei di?' gofynnodd Cledwyn. Doedd o ddim yn hoffi meddwl am Siân ar ei phen ei hun.

'Mae Mael am i mi gyfarfod â rhai o'i ffrindiau o. Wela i di wedyn!' Winciodd Siân ar ei brawd a gwridodd Cledwyn.

Ar ôl setlo ar fainc flêr yng nghanol y parti, gofynnodd Pabi a Doli ddegau o gwestiynau, a siaradodd Cledwyn am hydoedd am ei anturiaethau yng Nghrug, am Nain, ac am Aberdyfi. Wrth i Cledwyn siarad, fe ymunodd mwy o bobol ifanc â nhw o gwmpas y fainc, ac ymhen ychydig, roedd casgliad o bobol yn gwrando ar Cledwyn. Roedd o'n swil i ddechrau, ond wrth weld faint o ddiddordeb oedd gan bobol ifanc Abermorddu yn ei hanesion, fe ddechreuodd ymlacio.

'Ew,' ebychodd Doli, ar ôl clywed sut y gwnaeth Cledwyn, Siân a Gili Dŵ ddianc rhag y Marach. 'Rwyt ti mor ddewr, Cled.'

Cytunodd pawb â hi, a gwridodd Cledwyn. Teimlad rhyfedd iawn oedd clywed pobl yn ei ganmol, yn enwedig a hwythau'n bobol ifanc yr un oed ag o, a rhai'n hogiau yr un oed ag o, hogiau golygus, cyhyrog, poblogaidd. Y rhain hefyd yn meddwl bod Cledwyn yn ddewr! Sylweddolodd Cledwyn ei fod o'n llawer mwy cŵl yma yng Nghrug nag y byddai o byth yn Aberdyfi.

Arhosodd Cledwyn gyda'r criw o bobol ifanc

drwy'r prynhawn, wrth iddyn nhw ddangos eu tai, eu cuddfannau, a hyd yn oed eu hysgol i Cledwyn. Roedd yr holl dai yn debyg i gartref Mael – y tamprwydd a'r tyllau mor amlwg. Roedd yr ysgol yn waeth byth. Syllodd Cledwyn ar y desgiau yn disgyn yn ddarnau, y twll mawr yng nghornel y to, y llyfrau tenau carpiog, a'r tudalennau wedi eu sticio wrth ei gilydd ar ôl blynyddoedd o fod mewn ystafell ddosbarth tamp. Gwibiodd llygoden fawr ar hyd y llawr a chuddio o dan ddesg yr athro.

'Mae o'n ofnadwy, tydi,' meddai Pabi gan wrido.

'Wel...' Ceisiodd Cledwyn feddwl am rywbeth caredig i'w ddweud am yr ysgol, ond roedd o wedi dychryn bod ysgol yn gallu bod mewn ffasiwn stad. 'Dwi'n siŵr y bydd y twll yn y to'n cael ei drwsio cyn bo hir.' Gwyddai Cledwyn mor wan roedd hyn yn swnio, a gwridodd.

Erbyn i Cledwyn a'i ffrindiau newydd gyrraedd yn ôl at y fainc, roedd hi'n fin nos ac roedd byrddau wedi eu gosod yng nghanol y stryd. Roedd pobl yn cario powlenni anferthol o fwyd, a'u gosod yn rhesi yng nghanol y byrddau. Dechreuodd bol Cledwyn ruo wrth iddo arogli'r bwyd.

'Sbiwch!' pwyntiodd Pabi. 'Dacw'r adeiladwr oedd yn yr hen theatr gynna.'

Roedd Pabi'n iawn. Roedd yr adeiladwr gydag oferôls streipiog pinc a phiws yn gwneud nodiadau mewn llyfr bach, gan ddal tâp mesur yn erbyn y waliau ac yna'n cofnodi yn ei lyfr. A dacw'r plymiwr a'r trydanwr, ac, yn wir, roedd criw mawr o bobol yn edrych ar y tai, yn mesur ac yn nodi, yn cnocio waliau ac yn crafu eu pennau. Degau o bobol, yn paratoi i wella cartrefi Pobol y Coed.

'Bwyd!' Daeth llais Seraffina'n uchel ac yn glir dros sŵn y band pres a'r parablu. Cododd holl ffrindiau newydd Cledwyn, a symud at y byrddau gydag awch. Penderfynodd Cledwyn aros am ychydig tan y byddai'r byrddau'n llai prysur.

Daeth yr adeiladwr i fesur ffenestri'r tŷ oedd agosaf at y fainc, a gwenodd wrth weld Cledwyn.

'Mi fydd y gwaith yn dechrau fory,' esboniodd wrth Cledwyn. 'Mi wnawn ni roi estyniad ar bob tŷ, a rhoi waliau cerrig cadarn yn lle'r hen sinc tyllog yma.'

'Rydach chi'n garedig iawn.'

'Dim o gwbl. A dweud y gwir, rydw i wedi gwneud pres go lew gyda fy musnes adeiladu, a toes dim ots gen i i'w wario fo ar atgyweirio tai Pobol y Coed. Mi fydd o'n gwella Abermorddu, ac yn ffordd o ymddiheuro i Bobol y Coed am y ffordd ofnadwy y cawson nhw eu trin.'

Eisteddodd yr adeiladwr ar y fainc yn ymyl Cledwyn.

'Rydan ni am adeiladu ysgol newydd, a chae chwarae i'r plant. Ac mi fydda i'n gofyn i rai o Bobol y Coed weithio i mi hefyd, er mwyn iddyn nhw gael pres yn eu pocedi, ac mi gân nhw ddysgu sut mae adeiladu hefyd.'

Trodd Cledwyn at yr adeiladwr. 'Ga i ofyn cwestiwn hy i chi?' Nodiodd yr adeiladwr gan wenu. 'Sut na wnaethoch chi sylweddoli cyn hyn mor annheg oedd y drefn yn Abermorddu? Mae pawb fel petaen nhw'n derbyn geiriau Siân yn gyfan gwbl. Sut na wnaethoch chi sylweddoli hyn ynghynt?'

Ochneidiodd yr adeiladwr. 'Rydw i'n meddwl bod hwnna'n gwestiwn y byddwn ni i gyd yn gofyn i'n gilydd am amser maith. A dweud y gwir, rydw i'n meddwl i 'nghydwybod i, a llawer cydwybod arall, gael ei bigo wrth basio'r stryd yma. A tydw i ddim yn siŵr pam nad ymatebais i cyn hyn.' Ysgydwodd yr adeiladwr ei ben. 'Weithiau, pan mae'r amseru'n berffaith, a bod 'na arweinydd cryf, fel dy chwaer, yn tynnu sylw at y diffygion, yna daw hi'n amlwg bod hi'n amser i ni newid.'

Rhuthrodd Seraffina draw at Cledwyn a'r adeiladwr. 'Cymerwch rywbeth i'w fwyta, wir. Mae 'na lond gwlad o fwyd yma, a tydan ni ddim am wastraffu 'run briwsionyn.'

Gwridodd yr adeiladwr. 'Tydw i ddim am gymryd mantais... '

'Twt lol!' wfftiodd Seraffina. 'Fyddwch chi ddim yn gwneud dim byd o'r fath. A beth bynnag, mae pawb yn cymysgu'n grêt. Sbiwch!'

Roedd Seraffina'n iawn. Roedd llawer o bobol o rannau arall o Abermorddu wedi dod i ymweld â Phobol y Coed, ac wedi dod â chacennau a brechdanau efo nhw. Roedd pawb yn sgwrsio ac yn chwerthin yn llawen, ambell un yn dawnsio i gyfeiliant y band pres. Prin y gallai Cledwyn gredu bod rhwyg mawr wedi bodoli o gwbwl rhwng pobl Abermorddu. Roedd amheuaeth wedi pigo ei feddwl drwy'r prynhawn, heb yn wybod iddo bron, fod pethau wedi digwydd yn rhy hawdd yn yr hen theatr: Ond yn awr, wrth feddwl dros yr hyn a ddywedodd yr adeiladwr, tybiodd ei fod o wedi poeni yn ddiangen.

Ffarweliodd Cledwyn â'r adeiladwr a symud draw at y byrddau. Roedd y bwydydd yn ddigon i dynnu dŵr o'i ddannedd gan gynnwys selsig tewion, powlenni chwilboeth o datws trwy'u crwyn, saladau lliwgar a chawsiau blasus. Tra oedd o'n llwytho ei blât yn awchus, daeth Siân a Mael draw at Cledwyn.

'Lle rwyt ti wedi bod yr holl amser?' gofynnodd Siân yn goeglyd. 'Efo'r genod yna?'

'Paid â thynnu ei goes o!' gwenodd Mael. 'Mae Pabi a Doli'n glên iawn.'

'Mae'f lle yma yn hollol gfêt,' Ymddangosodd Gili Dŵ ar ochr arall y bwrdd bwyd, a'i wyneb bach yn llawn llawenydd. Cymrodd ddarn o gyw iâr a'i drochi yng nghanol treiffl, cyn brathu i mewn i'r cig yn awchus. 'Mae Sefaffina a'i ff-findiau yn wefth y byd. Maen nhw wedi addo dod af eu gwyliau i Bendfamwnagl!'

'Mae ffrindiau Mael yn grêt, hefyd,' nodiodd Siân gan wenu'n foddhaus. 'Mae'n biti na fedrwn ni aros am ychydig ddyddiau.'

Cytunodd Cledwyn. 'Dw inna'n meddwl yr un fath â ti. Ond mae'n siŵr bod Nain yn poeni amdanon ni.'

'A dweud y gwir,' ebe Siân, 'bydd yn rhaid i ni fynd cyn bo hir. Mi fyddai'n greulon ei chadw hi ar binnau tra 'dan ni'n ei lordio hi mewn parti yn fa'ma!'

'Arhoswch am ychydig bach hirach,' erfyniodd Mael. 'Tydi Cledwyn heb orffen ei fwyd eto.'

Safodd y pedwar ar ochr y stryd yn gwylio'r band a

hithau'n nosi. Syllodd Cledwyn wrth i goelcerth fawr gael ei thanio yn y stryd, a'r plant lleiaf yn dawnsio o'i chwmpas yn llawn egni a hwyl. Roedd pawb yn edrych mor hapus.

'Aha!' meddai dynes fechan, dywyll, gan syllu i fyny at Cledwyn, Siân a Gili Dŵ. 'Dyma nhw! Rydw i wedi dweud ers talwm bod ymwelwyr am ddod o bell, a dyma fi wedi cael fy mhrofi'n gywir unwaith eto.'

'Helo, Daearen,' meddai Mael yn fflat. 'Dyma Siân a Cled a...'

'Dwi'n gwybod pwy ydyn nhw, siŵr iawn!' ebychodd Daearen yn ddiamynedd. 'Mae fy mhwerau wedi dweud wrtha i...' Caeodd ei llygaid fel petai'n meddwl yn ddwys iawn. Edrychodd Mael ar Siân, Cledwyn a Gili Dŵ yn amheus.

'Mae Daearen yn dweud ffortiwn,' esboniodd Mael yn fflat.

'W! W! Wnewch chi ddweud fy ffoftiwn i?' gofynnodd Gili Dŵ yn llawn cyffro. 'Dwi angen gwybod os ydi'f tatws fydw i wedi eu plannu ym Mhendfamwnagl yn iawn, achos os nad ydyn nhw, mi fydd ffaid i mi fyw af gawl pfidd, fel y gwnes i bum mlynedd yn ôl yn ystod y gaeaf mawf. Ych a fi, foedd o'n ffiaidd, ond mi gollais i lwythi o bwysa, a...'

'Mae fy mhwerau'n fy nenu i at Cledwyn,' torrodd Daearen ar draws Gili Dŵ, a suddodd calon Cledwyn. 'Tyrd efo fi, Cledwyn, ac mi gei di gip i'r dyfodol.'

'Ym... dim diolch,' atebodd Cledwyn yn nerfus. 'Dwi'n hoffi syrpreisys. Tydw i'm eisiau gwybod beth sydd am ddigwydd i mi.'

'Twt lol! Mae pawb eisiau gwybod be sydd am ddigwydd iddyn nhw siŵr!' wfftiodd Daearen. Cymerodd y fowlen wag o ddwylo Cledwyn a'i gosod ar y bwrdd. Cydiodd yn ei law a'i lusgo dros y lôn tuag at dŷ â lluniau o sêr a lleuad wedi eu peintio'n flêr drosto. Dilynodd Siân, Mael a Gili Dŵ gan drio peidio â chwerthin.

'Paid â phoeni, Cled,' gwenodd Siân. 'Mi fyddan ni tu allan i'r drws os byddi di eisiau rhywbeth.' Ar hynny, fe dynnwyd Cledwyn i mewn i gartref Daearen.

Roedd hi mor dywyll fel na allai Cledwyn weld yn iawn am ychydig eiliadau, dim ond y tân bach yng nghanol y llawr. Ar ôl i'w lygaid ddod i arfer â'r tywyllwch, gallai weld ychydig mwy – siapiau planedau yn crogi o'r nenfwd, bwrdd bach, cadeiriau, a chasgliad sgleiniog o grisialau'n disgleirio.

'Tyrd i eistedd,' meddai Daearen wrth iddi setlo yn un o'r cadeiriau ger y bwrdd bach. Ufuddhaodd Cledwyn. Doedd ganddo ddim ffydd o gwbl y byddai Daearen yn gallu dweud ffortiwn, a beth bynnag, doedd Cledwyn ddim yn credu yn y math yma o beth.

'Rho dy law i mi,' gorchmynnodd Daearen. Roedd Cledwyn yn disgwyl iddi droi ei law a darllen y llinellau ar ei gledrau, ond dim ond dal yn dynn ynddi, a chau ei llygaid, wnaeth Daearen. Roedd ei dwylo'n oer. Bu tawelwch am ychydig eiliadau.

'Rydw i'n gweld gwyrdd.'

'Gwyrdd?' holodd Cledwyn yn amheus. 'Y lliw?'

'Sh!' dwrdiodd Daearen. 'Dilledyn gwyrdd... Ia, dyna fo! Dilledyn gwyrdd, sy'n newydd i ti.'

'Fedra i ddim meddwl am unrhyw...'

'Siwmper, dwi'n meddwl... Ia, dyna fo, siwmper werdd.'

Wedi meddwl, roedd gwisg Ysgol Tywyn yn wyrdd, a honno'n eitha' newydd i Cledwyn. 'Mae fy siwmper ysgol yn wyrdd...'

'Aha! Dyna fo!' meddai Daearen yn fuddugoliaethus. Doedd Cledwyn ddim am ddweud gair, ond doedd o ddim yn credu i Daearen brofi bod ganddi dalent o gwbl. Roedd o'n amau bod gan y rhan fwyaf o bobol ddilledyn gwyrdd – cyd-ddigwyddiad oedd y cyfan.

'Rydw i'n gweld dau o bobol sy'n agos iawn atoch chi,' parhaodd Daearen. 'Mae un yn ferch ifanc, hardd, a chanddi wallt tywyll a sbectol, a'r llall yn greadur bach â llygaid mawr porffor.'

Ochneidiodd Cledwyn. Roedd Daearen wedi ei weld o tu allan gyda Siân a Gili Dŵ funud yn ôl. Doedd hi'n dda i ddim, yn amlwg.

'Ac mae 'na hogyn ifanc, wedi ymuno â'ch criw chi. Rhywun sy'n agos iawn at yr eneth â gwallt tywyll.'

Wrth gwrs, roedd pawb o Abermorddu wedi dyfalu bod Mael a Siân yn agos. Roedden nhw i gyd wedi bod yn eu gwylio yn yr hen theatr. Mae'n rhaid bod Daearen yn meddwl 'mod i'n dwp, meddyliodd Cledwyn.

'Hmmm. Mae geneth â gwallt golau wedi bod yn achosi poendod i chi.'

Fedrai Cledwyn ddim meddwl am unrhyw un penfelen oedd yn creu trafferth iddo.

'Nid yn y byd yma, ond ymhell i ffwrdd, yn eich tref chi. Ond O! Mi rydach chi wedi dweud y drefn wrthi, ac mae hi'n well rŵan. Da iawn chi, hefyd. Hen jadan ydi hi, o be wela i.' Crychodd Cledwyn ei dalcen mewn penbleth. Sut yn y byd roedd Daearen yn gwybod am Caryl, yr eneth a fu'n ei fwlio yn yr ysgol gynradd? A sut y gwyddai fod Cledwyn wedi cael llond bol, ac wedi dweud wrthi am roi'r gorau i'w boenydio?

'Mae 'na hogyn, hefyd, hogyn ifanc sydd braidd yn grwn. Ew, mae o'n annwyl! Mae ei enw'n cychwyn gyda'r llythyren 'm', ac mae o'n edrych ymlaen at fod yn eich cwmni chi eto...'

Gwingodd Cledwyn yn anghyfforddus yn ei sedd. Roedd Daearen wedi disgrifio Moi yn berffaith. Oedd hi'n bosib bod ganddi dalent go iawn? Ymestynnodd bysedd Cledwyn at ei arddwrn, gan chwilio am oriawr ei dad, cyn cofio ei bod hi ar goll yng nghanol y moroedd.

'Mae llawer un sy'n poeni amdanoch chi!' ebychodd Daearen. 'Hen fenyw mewn siôl wen, yn cerdded ar hyd rhyw draeth yn chwilio amdanoch chi...'

Nain. Dychmygodd Cledwyn y boen ar ei hwyneb crychiog wrth iddi grwydro ar hyd glan y môr Aberdyfi yn chwilio am ei hŵyr a'i hwyres.

'A dynes arall: dynes brydferth, â gwallt tywyll, yn cerdded o amgylch plasty enfawr, yn poeni'n ddirfawr amdanoch chi. Am ryw reswm, mae hi'n ymweld â dwy ystafell wely yn aml – un â blodau mawr ar y wal, a'r llall â choed yn gorchuddio'r muriau.'

Eiry, yn ymweld ag ystafelloedd gwely Siân a Cledwyn yn y plasty.

Sylweddolodd Cledwyn mewn syndod fod gan Daearen dalent gwirioneddol. Roedd o'n methu'n lân credu'r peth!

'Ac mae 'na ddynes arall, â gwallt coch fel rhuddem, yn eistedd mewn tŷ sy'n arnofio ar wyneb y môr, yn edrych am long fydd yn dod â chi adref yn saff.'

Mina. Dychmygodd Cledwyn ei gweld yn unig yn ei thŷ, ei llygaid yn chwilio'r gorwel am unrhyw arwydd o'r *Una*.

'Ac mae 'na ddyn...'

Ysgydwodd Cledwyn ei ben mewn penbleth. 'Tydw i ddim yn meddwl.'

'... yn aros amdanoch chi. Mae o'n treulio'i ddyddiau yn meddwl amdanat ti a dy chwaer, ond does ganddo ddim modd o gysylltu â chi. Heblaw...' Meddyliodd Daearen am eiliad, cyn gwenu ac ysgwyd ei phen. 'Na, tydi'r peth yn gwneud dim synnwyr.'

'Be?' holodd Cledwyn yn frwd.

Difrifolodd wyneb Daearen mewn penbleth. 'Mae hyn yn mynd i swnio'n ddwl, ond yr unig ffordd mae o'n medru cysylltu â chi ydi trwy ganu cloch.'

Rhewodd Cledwyn yn ei unfan. Teimlai fel petai newydd gael ei daro gan fellten.

'Mae o yma, yng Nghrug. Yn agosach nag ydach chi'n sylweddoli. Mae ei enw fo'n cychwyn gyda'r llythyren 'm'... Meirion? Meurig?' Yn sydyn, agorodd Daearen ei llygaid am y tro cyntaf ers iddi ddechrau dweud ffortiwn Cledwyn, a syllodd i fyw ei lygaid. 'Meilyr!'

Teimlai Cledwyn yn benysgafn, a drymiai ei galon yn uchel yn ei frest. Meilyr. Ei dad. Mae'n rhaid mai breuddwydio oedd o.

'Lle mae o, Daearen?' gofynnodd Cledwyn, a'i lais yn gryg. 'Lle mae Meilyr?'

Caeodd Daearen ei llygaid drachefn, a chanolbwyntio am amser hir. 'Wn i ddim yn union lle mae o,' meddai o'r diwedd. 'Ond am ryw reswm, rydw i'n gweld y rhif un. Mae'n rhaid ei fod o'n rhyw fath o gliw.'

Cododd Cledwyn ar ei draed. Teimlai'n rhyfedd iawn, fel petai o'n breuddwydio. 'Diolch, Daearen,' meddai'n wan, cyn baglu allan o'r tŷ i'r stryd.

'Ew annwyl! Wyt ti'n iawn 'ffen hogyn?' gofynnodd Gili Dŵ wrth weld wyneb gwelw Cledwyn. Methodd Cledwyn ag ateb.

Gafaelodd Siân ym mraich ei brawd. 'Ydi'r ddynes dweud ffortiwn wedi codi ofn arnat ti, Cled?'

'Paid â gwrando arni hi,' meddai Mael yn frysiog. 'Mae hi'n llawn lol!'

'Nac ydi,' atebodd Cledwyn yn wan. 'Mae hi'n *wych*.'

Adroddodd Cledwyn yr union eiriau a ddywedwyd wrtho gan Daearen, a gwyliodd wrth i wynebau ei ffrindiau newid nes bod golwg anghrediniol arnynt.

'Ac mi ddywedodd hi'r union eiriau yna? Ei fod o yng Nghrug, yn agosach nag ydan ni'n meddwl?' gofynnodd Siân yn wan, a nodiodd Cledwyn arni.

'Mae hi'n syniad i chi beidio â chyffroi gormod am y peth,' rhybuddiodd Mael. 'Efallai mai cyd-ddigwyddiad ydi'r cwbl. Wedi'r cyfan, does 'na ddim byd i awgrymu bod eich tad yng Nghrug o gwbl... A chlywais i rioed am Daearen yn cael unrhyw beth yn iawn o'r blaen.'

'Cyd-ddigwyddiad? Ar ôl yr holl bethau cywir a ddywedodd Daearen?' holodd Siân. 'Na, mae'n rhaid ei bod hi'n dweud y gwir.'

'Ro'n i'n *gwybod*,' ebe Cledwyn yn wan. 'Ro'n i'n gwybod ei fod o'n fyw.'

'Ond be yn y byd mae'f cliw yn ei olygu?' Crafodd Gili Dŵ ei ben yn feddylgar. 'Y ffif un...?'

'Rhif tŷ, efallai?' awgrymodd Cledwyn.

'Ond mae cymaint o strydoedd yma yn Abermorddu, mae'n rhaid bod o leia deugain tŷ sy'n rhif un,' cwynodd Mael.

'Afhoswch funud!' ebychodd Gili Dŵ. 'Afhoswch un eiliad fach...'

'Be sy'n bod, Gili Dŵ?' gofynnodd Siân yn ddiamynedd.

'Mi ddywedodd Mina ffywbeth am y ffif un, ydach chi'n cofio?'

'Be? Be ddywedodd Mina?' gwichiodd Siân.

'Dweud mai'f gaif Lladin am un ydi *una*.'

Edrychodd pawb ar ei gilydd. Wrth gwrs!

'Da iawn ti, Gili Dŵ!' Gwenodd Cledwyn ar ei ffrind. 'Ro'n i wedi anghofio popeth am hynny.'

Gwenodd Gili Dŵ, gan wrido gyda balchder.

'Wel, dewch ta,' meddai Siân yn frwd. 'I'r *Una*!'

'Arhoswch funud,' meddai Mael, gan droi at y dorf. Chwibanodd yn uchel. 'Esgusodwch fi, bawb! Mae Siân a Cled a Gili Dŵ am adael rŵan!'

Trodd pawb i edrych, a rhoddodd y band y gorau i chwarae am ychydig. Ar ôl syllu am rai eiliadau, dechreuodd y dorf gyfan gymeradwyo, a dechreuodd y band chwarae tiwn llawen. Gwenodd Cledwyn, a chodi llaw ar Seraffina, a Pabi a Doli, ar yr adeiladwr, ac ar Daearen, oedd yn sefyll yn ffrâm ei drws yn edrych yn falch iawn. Teimlodd Cledwyn fflach o hapusrwydd yn ei lenwi wrth sylweddoli cymaint o ffrindiau oedd ganddo yn Abermorddu, a gwyddai y deuai yn ei ôl cyn hir i'w gweld nhw eto.

Cododd Siân ei llaw ar y dorf, cyn troi at ei ffrindiau gyda gwên. 'Rŵan, dewch!'

Trodd y pedwar, a rhedeg nerth eu traed tuag at yr harbwr. Rhuthrent heibio'r siopau, pasio a chodi llaw ar ambell un oedd yn sefyll ar y palmentydd, tan iddynt ddod i'r brif stryd yn wynebu'r harbwr a glan y môr. Doedd Cledwyn ddim yn credu iddo redeg mor gyflym erioed o'r blaen, ond roedd ei gorff mor llawn cyffro fel y gwnaeth fwynhau cael gwared ar ychydig o'i egni. Arafodd y pedwar wrth nesáu at yr *Una*. Edrychodd Cledwyn ar fwrdd y llong am unrhyw arwyddion bod dyn tal a chlustiau mawr yn aros amdanynt, ond ni allai weld 'run.

'Wel, dyma nhw!' meddai llais o'r dŵr. Edrychodd Cledwyn i lawr a gweld Sandra a Beti, y môr-forynion, yn gwenu arno. 'Falch o weld eich bod chi'n dal ar dir y byw!'

'Oes 'na ddyn wedi bod ffor 'ma?' gofynnodd Siân yn fyr ei hanadl.

'Dyn? Nag oes. Toes 'na 'run enaid byw wedi bod yn agos,' meddai Beti gan ysgwyd ei phen. Plymiodd calon Cledwyn i'w fol. Gwnaeth beth dwl yn coelio Daearen...

'Ond dyma i chi beth difyr,' ychwanegodd Sandra yn feddylgar. 'Wyddoch chi, pan welodd Bet a minna Cled am y tro cynta, roedden ni'n siŵr ein bod ni wedi ei weld o'r blaen? Wel, wedi camgymryd roeddan ni, wrth gwrs. Meddwl oeddan ni am ddyn sy'n anhygoel o debyg iddo fo – chydig yn hŷn, ond tebyg iawn.'

'Rydach chi wedi gweld dyn sy'n debyg i mi?' Dechreuodd calon Cledwyn guro'n gyflymach unwaith eto. 'Yma, yng Nghrug?'

Nodiodd Beti. "Run ffunud â ti! Yr un gwallt, yr un wyneb yn union, heblaw bod ganddo fo ambell grychyn o gwmpas ei lygaid.'

'Ew! Dyn clên!' cofiodd Sandra. 'Clên iawn, ond yn anhapus hefyd. Roedd ganddo fo rhyw dristwch yn ei lygaid.'

'Oedd. Dweud ei fod o'n hiraethu am ei blant... Dim ond bach oeddan nhw, yntê Sand?'

'Ia... Hogyn a hogan dwi'n siŵr. Ew, ro'n i'n teimlo drosto fo.'

'Ydach chi'n gwybod lle mae o rŵan?' gofynnodd Siân, a'i llais yn gryg.

'Wel, tydan ni heb ei weld o ers talwm, ond ar ryw ynys fach roedd o'n byw ar ei ben ei hun, 'ngwas i. Tybed os ydi o'n dal i fod yno?'

'Allwch chi fynd â ni yno?' gofynnodd Siân. 'At yr ynys fach?'

Edrychodd y môr-forynion ar ei gilydd mewn penbleth. 'Gwnawn, os mai hynny dach chi eisiau,' cytunodd Beti. 'Ond pam?'

'Achos mae'n bosib iawn,' meddai Cledwyn, a'i lais yn crynu o ganlyniad i'w gyffro a'i nerfusrwydd, 'mai'r dyn sy ar yr ynys fach yna, ydi'n tad ni.'

Gwenodd y môr-forynion. 'Mam bach!' ebychodd Sandra. 'Am antur! Mi ddangoswn ni'r ffordd, ac mi wnaiff y llong ein dilyn ni, peidiwch chi â phoeni dim!'

'Eich tad chi!' ychwanegodd Beti yn llawen. 'Wel wir! Wrth gwrs, ar ôl i chi ddweud, mae'r peth yn amlwg. Mae o mor debyg i Cledwyn.'

Diolchodd bawb i'r môr-forynion, a dechreuodd Cledwyn ddringo'r ysgol yn llawn cyffro.

'Wyt ti am ffarwelio â fi, Cled?'

Neidiodd Cledwyn o'r ysgol yn ôl i'r harbwr a throdd i edrych ar Mael, oedd yn gwenu'n fwyn arno.

'Ond... Ond... Mae'n rhaid i ti ddod efo ni!' mynnodd Cledwyn.

Ysgydwodd Mael ei ben. 'Na. Dyma 'ngartre i, ac rydw i am aros yma.'

'Ond fydan ni af fin dod o hyd i Meilyf! Wyt ti ddim eisiau cwfdd â thad Siân a Cled?'

'Wrth gwrs 'mod i,' gwenodd Mael yn drist. 'Ond, ar ôl dod o hyd iddo fo, mi fydd pawb yn mynd adre. Na... Mae 'na newidiadau mawr am ddigwydd yn Abermorddu, diolch i chi, ac mi hoffwn i fod yma i'w gweld nhw.'

'Gei di ddod hefo ni i Aberdyfi, os lici di,' meddai Siân yn dawel, a gwelodd Cledwyn fod dagrau yn ei llygaid gwyrdd. 'Mi wnawn ni ddweud wrth bawb dy fod ti'n gefnder i ni, neu rywbeth. Mi gei di fyw efo ni, a mynd i Ysgol Tywyn...'

Ysgwyd ei ben wnaeth Mael. 'Diolch iti, Siân, ond na. Rydach chi'ch tri wedi bod yn anhygoel, ond yma mae fy lle i.'

'Paid â bod yn wirion...' dechreuodd Cledwyn.

'Wir i ti, Cled. Yn fy nhref i, gyda 'mhobol i fy hun. Mi fyddai'r hiraeth yn ormod petawn i'n symud oddi yma.'

Gorlifodd y dagrau o lygaid gwyrdd Siân, a gwyddai Cledwyn fod Mael yn dweud y gwir.

Camodd Gili Dŵ at Mael a'i gofleidio'n dynn. Roedd y creadur bach yn crio erbyn hyn, ac fe sychodd ei ruddiau a'i drwyn yn ei lawes. 'Ty'd dfaw i Bendfamwnagl cyn hif! A ty'd â dy nain efo ti!'

Tro Cledwyn i ffarwelio oedd hi nesaf, a chofleidiodd hwnnw'n dynn yn ei ffrind newydd. 'Mi welwn ni ti'r tro nesa y down ni i Grug.' Ceisiodd Cledwyn ei orau i beidio â chrio.

'Edrych ar ôl Siân i mi, Cled.' Roedd Mael yn methu edrych i fyw llygaid ei ffrind, ac yntau dan deimlad. Camodd Cledwyn yn ôl, gan adael i Siân nesáu at Mael.

'Diolch i ti am bopeth, Siân. Rwyt ti'n ferch anhygoel.' Cofleidiodd y ddau am hir. 'Rydw i am i ti addo rhywbeth i mi, Siân. Paid â meddwl amdana i ormod pan ei di adref. Rydw i am i ti gael amser da, a bod yn hapus pan fyddi di'n fy nghofio i.'

Nodiodd Siân heb ddweud gair, a chamu'n ôl oddi wrtho. Dringodd i fyny'r ysgol i'r llong. Dilynodd Gili Dŵ a Cledwyn, a safodd y tri ar fwrdd y llong yn edrych ar Mael wrth i'r *Una* ddechrau symud. Gwyliodd y tri wrth i Mael, ac yna Abermorddu, ddiflannu'n araf i'r tywyllwch, gan adael dim ond mwclis o oleuadau ar yr arfordir.

'Wyt ti'n iawn?' gofynnodd Cledwyn i'w chwaer, a nodiodd Siân yn ddewr. Ond wnaeth hi ddim dilyn ei brawd a Gili Dŵ i grombil yr *Una*, gan ddewis aros ar fwrdd y llong i hel meddyliau.

Wrth i Cledwyn eistedd wrth y ddesg fach ac agor y llyfr log, gadawodd i lygedyn o gyffro danio yn ei fol. Oedd hi'n bosib, wedi'r cyfan, y byddai Cledwyn yn cael cyfarfod â'i dad cyn bo hir?

PENNOD 10

Chafodd Cledwyn fawr o gwsg y noson honno. Chwyrlïai ei feddwl o un peth i'r llall, tan y bu'n rhaid iddo godi a cherdded o gwmpas y llong. Meddyliodd am Mael ac am Eiry, am ei nain, ac am Mina. Ond wyneb ei dad oedd ar ei feddwl fwyaf. Ymestynnodd lawer gwaith i gyffwrdd yn ei oriawr, cyn cofio unwaith eto bod honno yng nghanol y môr. Fyddai gan Cledwyn ddim mymryn o ots am hynny pe cai weld ei dad.

Wrth i'r wawr dorri'n binc ac yn biws, dringodd Cledwyn y grisiau pren i fwrdd y llong, ei lygaid yn flinedig ond ei ddychymyg yn dal i rasio. Aeth i wylio Sandra a Beti'n nofio'n osgeiddig drwy'r dŵr, eu cynffonnau arian yn sgleinio fel tlysau. Dychmygodd Cledwyn mor ofnadwy y byddai'n teimlo petaen nhw wedi dyfalu'n anghywir, ac mae dyn cwbl wahanol oedd ar yr ynys fechan yn hiraethu am ei blant.

Gyda hynny, llenwodd yr awyr â sŵn cyfarwydd, a daeth heddwch i feddwl Cledwyn yn syth. Sŵn clychau. Arhosodd tan i'r tincial dawelu a diflannu, ac yna esgynnodd y grisiau a mynd yn ôl i'w wely. Y tro hwn, cysgodd Cledwyn yn syth, heb unrhyw amheuon i amharu arno.

'Wyt ti'n dod i gael brecwast, neu be?' gofynnodd Siân. Agorodd Cledwyn ei lygaid, a dylyfu gên. 'Er, mae hi'n agosach at amser cinio.'

'Ydi'r ynys i'w gweld?' holodd Cledwyn yn gryg.

'Nac ydi, ond mae Sandra a Beti'n dweud na fyddwn ni'n hir iawn eto. Rŵan ty'd, Cled, mae 'na fîns ar dost yn dy aros di.'

Roedd Siân a Gili Dŵ yn eistedd o amgylch y bwrdd pan gododd Cledwyn, ac am eiliad, teimlodd fod rhywun ar goll. Sylweddolodd yn sydyn mai cadair Mael oedd yn wag, a bod y lle'n edrych yn wahanol hebddo. Brysiodd at y bwrdd, gan geisio peidio â meddwl gormod am ei ffrind yn Abermorddu.

'Bofe da, Cled!' Gwenodd Gili Dŵ gan ychwanegu llwyed fawr o jam at ei ffa pôb. 'Wnest ti gysgu?'

'Dim tan iddi wawrio,' cyfaddefodd Cledwyn, gan chwistrellu pyllau bach o sôs brown dros ei ffa pôb. 'Roedd fy meddwl i'n troi.'

'Fedfa i ddim gweld bai afnat ti!' ebychodd Gili Dŵ, a'i geg yn llawn. ''Dan ni'n siŵf o gael gweld Meilyf heddiw!'

'Peidiwch â chyffroi gormod,' rhybuddiodd Siân. Sylwodd Cledwyn fod ei chwaer yn edrych yn welw iawn. 'Tydan ni ddim yn gwybod dim byd i sicrwydd.'

Wedi gorffen bwyta, eisteddodd y tri ffrind, yn sgwrsio am bopeth a ddigwyddodd yn Abermorddu. Roedd cymaint wedi digwydd, a'r tri heb gael cyfle i feddwl yn iawn am y peth. Chwarddodd y cyfeillion wrth gofio'r croeso a gawsant gan Bobol y Coed.

'Y peth sy'n fy synnu i,' meddai Siân, gan gymryd llond cegaid o'i diod, 'ydi mor hawdd oedd y cyfan. Blynyddoedd maith o rwyg rhwng trigolion Abermorddu a Phobol y Coed, a'r cyfan roedd ei angen oedd eu cael i siarad efo'i gilydd.'

Nodiodd Gili Dŵ. 'Ac mi fydden nhw wedi bod yn fodlon ein gweld ni'n cael ein taflu i ganol y môf tan i ni agof ein cegau a dweud y gwif. Y cyfan foedd ffaid i ni wneud oedd ffoi ein safbwynt ni.'

'Rydach chi'n iawn,' cytunodd Cledwyn yn frwd. 'Ro'n i wedi disgwyl y byddai'n llawer anos i'w cael nhw ar ein hochr ni, ond falle bod pobol yn fwy rhesymol nag ydan ni'n meddwl.'

Yn sydyn, daeth yr *Una* i stop, ac edrychodd Siân, Gili Dŵ a Cledwyn ar ei gilydd. Cododd y tri ar eu traed ar yr un pryd, a rhuthro i fyny'r grisiau pren at fwrdd y llong. Roedd calon Cledwyn yn drymio'n uchel yn ei frest.

Wrth bwyso dros ochr y llong, llenwodd pob modfedd o gorff Cledwyn gyda chyffro wrth weld yr ynys fechan gyfagos. Codai goleudy yng nghanol yr ynys, a fu unwaith yn wyn ond a oedd, erbyn hyn, yn llwyd a budr, a thyfai ambell goeden binwydd o'r tywod euraid. Doedd hi'n ddim mwy na maint cae pêl-droed, yn codi o'r môr fel paradwys.

'Mi fydd yn rhaid i chi gerdded o'r fan hyn,' galwodd Beti o'r dŵr. 'Tydi'r *Una* ddim yn gallu mynd yn agosach.'

'Peidiwch â phoeni,' ychwanegodd Sandra, gan weld yr olwg ofnus ar wyneb Gili Dŵ. 'Mae o'n berffaith saff.'

'Be am yf holl gfeadufiaid ffeibus sy'n byw yn y môf?' holodd Gili Dŵ yn ofnus.

'Wnawn nhw ddim meiddio dod yn agos, a ninnau yn fa'ma yn eich gwarchod chi!' gwenodd Beti yn falch.

Dringodd y tri i lawr yr ysgol, a neidio i'r dŵr. Roedd yn fas, ac yn glir, ac yn llawer cynhesach na'r môr yn Aberdyfi. Roedd ar Cledwyn gymaint o ofn cael ei siomi, crynai ei ddwylo ac roedd ei lwnc yn sych. Cerddodd y tri drwy'r dŵr tuag at y tir, a thonnau bychan yn llyfu eu coesau.

Doedd dim arwydd o unrhyw fywyd ar y traeth, ac wedi i'r tri gyrraedd tir sych, fe aeth Cledwyn yn syth at y goleudy, â Siân a Gili Dŵ yn ei ddilyn. Suddodd ei draed gwlyb yn y tywod poeth, ond ceisiodd frysio, gan ysu i gael gweld beth, neu bwy, oedd yn y goleudy. Teimlai curiad ei galon yn llenwi pob rhan o'i gorff, a theimlai'n agos iawn at chwerthin yn afreolus neu grio'n hidl. Doedd o ddim wedi teimlo mor emosiynol â hyn erioed, hyd yn oed pan fu mewn perygl enbyd. Roedd dod o hyd i'w dad yn hollbwysig i Cledwyn.

Roedd drws y goleudy'n ddu, â phaent yn plicio oddi arno'n flêr. Cnociodd Cledwyn arno'n galed, ei law yn crynu.

'Wyt ti'n iawn, Cled?' holodd Siân wrth weld ei brawd yn crynu drosto. Nodiodd Cledwyn, er nad oedd o'n siŵr o gwbl a oedd o'n iawn neu beidio. Gwyddai na allai aros eiliad yn hirach i weld oedd ei dad yno, a throdd y bwlyn yn y drws, a'i agor.

'O!' ebychodd Cledwyn wrth i'w lygaid archwilio'r tu mewn i'r goleudy. 'Mae o'n wag!' Ochneidiodd yn ddwfn wrth i'w obaith ddiflannu, a'i holl freuddwydion o gael cyfarfod â'i dad yn dymchwel. Teimlai fel pe bai ar fin disgyn ar lawr, wrth i'w egni ddiflannu'n sydyn.

Roedd yr ystafell yn fawr ac yn grwn, ond doedd 'na

fawr ddim i'w llenwi. Roedd Cledwyn wedi disgwyl gweld grisiau'n arwain y ffordd i ben y goleudy, ond un llawr oedd yno, a hwnnw wedi ei ddodrefnu'n flêr: hen gadair esmwyth, â'r sbrings a'r sbwng yn gorlifo ohono; hen flanced frown ar y llawr; drych wedi ei gracio ar y wal a silff fach oddi tano, ac arni hen rasal hen ffasiwn, a brws gwallt oedd bron â cholli ei bigau i gyd.

'Wel, mae ffywun wedi bod yn byw yma,' sylwodd Gili Dŵ, gan edrych o'i gwmpas.

'Rhywbryd, oes,' ochneidiodd Siân. 'Ond does neb yma rŵan.'

'Be ydi hwn, tybed?' Croesodd Gili Dŵ at ganol y goleudy, gan gydio mewn rhaff drwchus oedd yn crogi o'r to.

Edrychodd Cledwyn i fyny, a llamodd ei galon wrth iddo sylweddoli beth oedd yno. 'Cloch ydi hi!'

'Cloch?' holodd Siân. 'Fel yr un rwyt ti a Nain yn ei chlywed?'

Ceisiodd Gili Dŵ dynnu ar y rhaff, ond gan nad oedd o'n ddigon cryf, cafodd help llaw gan Siân. Wrth iddynt dynnu ar y clychau gyda'i gilydd gyda'u holl bwysau, dechreuodd y tincial cyfarwydd.

'Dyna ydi'r union glychau rydw i wedi'u clywed!' meddai Cledwyn yn dawel wrth i'r tincial stopio. 'Mae Dad wedi bod yma. Yn ddiweddar iawn – mi glywais i'r clychau yn yr oriau mân bore 'ma, ar y llong.'

'Ond ble yn y byd mae o rŵan?' gofynnodd Siân mewn rhwystredigaeth.

'Tu ôl i chi.'

Trodd Cledwyn yn sydyn i wynebu'r llais dwfn, anghyfarwydd, â'i galon yn ei lwnc. Roedd siâp tal, tenau yn sefyll yn ffrâm y drws. Cymerodd y cysgod gam ymlaen, a theimlodd Cledwyn bleser pur yn ffrwydro y tu mewn i'w gorff, mor gryf nes pery iddo weiddi'n uchel. Y gwallt melyngoch, sbwnglyd; y clustiau oedd yn sticio allan rhyw fymryn; y wên fodlon, flinedig. Doedd dim dwywaith amdani.

Ei dad!

Rhuthrodd Cledwyn ato, a gafael ynddo'n dynn, dynn, gan adael i'r dagrau lifo i lawr ei ruddiau. Teimlodd Cledwyn freichiau ei dad yn gafael amdano, a breichiau Siân hefyd, a gwasgodd Cledwyn ei dad gyda'i holl egni. Parhaodd y dagrau lifo wrth iddo gofio am yr holl adegau yn ei fywyd i Cledwyn deimlo'n unig; yr holl nosweithiau y bu'n gorwedd yn effro yn ei wely, yn dychmygu ei dad. Roedd o wedi bod wrth ei fodd yn dod o hyd i'w fam y llynedd, ond gwyddai Cledwyn ym mêr ei esgyrn mai hogyn ei dad oedd o.

Pan ollyngodd y tri afael ar ei gilydd, chwarddodd pawb wrth sylweddoli eu bod nhw i gyd yn socian yn nagrau ei gilydd. Tynnodd Siân ei sbectol i'w glanhau ar ei llawes, tra syllai Cledwyn ar ei dad.

'Pan welais i'r llong, ro'n i'n siŵr mai môr-ladron oedd yno. Maen nhw'n dod yn eithaf aml, felly mi guddiais. Ond yna, mi glywais i'ch lleisiau chi. Doeddech chi ddim yn swnio fel môr-ladron, a dweud y gwir, ro'n i'n siŵr mai Eiry oedd yma. Rwyt ti'n swnio mor debyg i dy fam, Siân!'

Methodd Cledwyn ddweud gair. Roedd o'n meddwl

am y ffaith mai dyma'r tro cyntaf o fewn cof iddo glywed llais ei dad – llais dwfn, braidd yn gryg, fel petai heb siarad am amser hir. Roedd Cledwyn yn methu peidio â chrynu.

'Dad, dyma Gili Dŵ,' cyflwynodd Siân o, ac ymestynnodd y creadur bach ei law yn fonheddig. 'Mae o'n ffrind da i ni, ac wedi bod yn help mawr i ni ddod o hyd i ti.'

Ysgydwodd Meilyr law Gili Dŵ. 'Diolch i ti, o waelod calon.' Trodd at ei blant. 'Alla i ddim credu eich bod chi yma. Fy mabis bach i, bellach yn bobol ifanc...'

'Fedra inna ddim coelio ein bod ni wedi dod o hyd i chi o'r diwedd!' ebychodd Cledwyn yn emosiynol. 'Mi fydd Nain wrth ei bodd!'

'Nain!' meddai Meilyr gan ysgwyd ei ben gyda gwên. 'Fy mam i! Sut mae Gwyddfid?'

'Iawn,' atebodd Siân yn frwd. 'Hi sydd wedi edrych ar ein holau ni ers i chi ddiflannu.'

Ochneidiodd Meilyr. 'Ro'n i'n gobeithio mai dyna fyddai'n digwydd. Ond, dwedwch wrtha i, ble mae hi rŵan? A pham yn y byd rydych chi yng Nghrug? A sut gwyddech chi 'mod i yma?'

'Mae hi'n stori hir,' esboniodd Siân.

'Be am fynd allan i eistedd yn yr haul?' awgrymodd Meilyr. 'Rydw i eisiau clywed pob manylyn!'

Eisteddodd Siân, Cledwyn, Gili Dŵ a Meilyr ar y tywod poeth, o dan goeden binwydd, wrth i'r tri chyfaill adrodd yr hanes o'r dechrau i'r diwedd. Sut y daethant i Grug y llynedd; am y cyfnod yr arhosodd y tri ym mhalas Eiry; am YCH ac am Mael. Lledaenodd llygaid Meilyr wrth glywed am y Marach, ac am yr ysbrydion yn amgylchynu'r *Una*, a chwarddodd wrth glywed am Cledwyn yn dweud wrth Caryl am beidio â bod mor gas.

'Bobol bach,' meddai Meilyr wedi iddynt ddweud yr hanes. 'Rydych chi wedi cael antur a hanner, 'yn do? Dyna beth rhyfedd i chi weld fy enw i yn y tywod yn Aberdyfi. Fedra i ddim deall y peth. Mi wnes i sgwennu fy enw yn y tywod ychydig ddyddiau 'nôl, er fydda i ddim yn gwneud fel arfer. Doedd gen i ddim rheswm i wneud, dim ond bod 'na lais bach yn fy mhen yn dweud mai dyna y dyliwn i wneud. Roedd arna i ofn y byddwn i wedi anghofio sut roedd ysgrifennu, neu y byddwn yn anghofio fy enw hyd yn oed. Mae bod ar eich pen eich hun yn gwneud pethau rhyfedd iawn i ddyn!'

'Mae un peth arall dydw i ddim yn ei ddeall,' ebe Cledwyn mewn penbleth. 'Y clychau. Sut roedd Nain a minnau'n gallu eu clywed nhw, a ninnau mor bell? Pam nad oedd unrhyw un arall yn gallu eu clywed nhw?'

Ysgydwodd Meilyr ei ben. 'Tydw i ddim yn siŵr yn union. Ro'n i'n canu'r gloch yn aml, gan obeithio y byddai rhywun yn ei chlywed, rhywun mewn llong, efallai, a fyddai'n dod i fy achub i. Ond doeddwn i ddim yn disgwyl i'r tincial gyrraedd Aberdyfi! Efallai eich bod yn ei chlywed am fod gynnoch chi ffydd 'mod i'n dal yn fyw, a bod hynny'n creu rhyw fath o gysylltiad rhwng y ddau fyd.'

Nodiodd Cledwyn. 'Mae hynny'n gwneud rhyw fath o synnwyr. Roedd clywed y clychau'n rhoi ffydd i mi eich bod chi'n dal yn fyw ac yn iach, ac yn meddwl amdana i.'

'Gwneud synnwyr, ddwedaist ti?' Cododd Siân un o'i haeliau yn amheus. 'Tydi o ddim yn gwneud synnwyr o gwbl! Sŵn clychau yn teithio o un byd i'r llall? Dydach chi ddim yn gall!'

'Siân fach,' twt twtiodd Gili Dŵ. 'Fydw i wedi dweud o'f blaen, 'yn do: Mae'n ffaid i ti goelio mewn pethau sydd ddim yn gwneud synnwyf weithiau, wsti!'

'Yn enwedig yng Nghrug,' cytunodd Meilyr. 'Does 'na fawr ddim sydd *yn* gwneud synnwyr yn fa'ma.'

'Efallai mai dyna pam nad oeddet ti'n clywed y clychau,' tynnodd Cledwyn goes ei chwaer. 'Am nad oes gan ti feddwl agored.' Tynnodd Siân ei thafod arno'n chwareus.

'I fod yn deg, mae angen un â'i thraed ar y ddaear ym mhob giang.' Gwenodd Meilyr ar ei ferch. 'Diolch byth amdanat ti, Siân.'

'Ia, wir,' cytunodd Cledwyn. 'Fyddwn i byth wedi bod yn ddigon dewr i hwylio i Abermorddu i ganol YCH heb i ti grybwyll y peth.'

'Roeddet ti wastad yn hogan fach ddewr,' gwenodd Meilyr. 'Fy Siân fach i.'

'Dewr, neu dwp.' Gwridodd Siân. 'Rŵan, Dad, rwyt ti wedi cael clywed ein hanes ni. Beth amdanat ti? Be ddigwyddodd ar y noson honno y buon ni'n gwersylla yn Abergynolwyn?'

Daeth cwmwl dros wên Meilyr. 'Tydi hi ddim yn stori hapus iawn.'

'Twt lol,' gwenodd Gili Dŵ. 'Fydan ni'n gwybod bod gan y stofi ddiweddglo hapus – fydach chi'ch tfi yn ôl efo'ch gilydd!'

'Mae hynny'n wir, Gili Dŵ.' Gwenodd Meilyr ar y creadur bach, cyn ochneidio a dechrau ar ei stori.

'Fel y gwyddoch chi, roedd Eiry wedi methu ymdopi â bywyd yn Aberdyfi. Roedd hi wedi arfer â threfn, a llonyddwch, a thawelwch, ac roedd hi ar goll ynghanol sŵn a miri'r dref, yn enwedig yn yr haf. Er ein bod ni'n byw mewn man anghysbell ar y bryniau rhwng Tywyn ac Aberdyfi, roedd hi'n byw mewn ofn y byddai rhywun yn galw. Roedd mynd i'r siop i brynu torth o fara'n ei llenwi hi â phanig. Felly, wrth gwrs, mi benderfynodd fynd yn ôl i'w phalas, a'ch gadael chi'ch dau yn fy ngofal i yn Nhyddyn Llus. Mi addawodd y byddai'n ymweld â ni, ond ro'n i'n gwybod, yng ngwaelod fy nghalon, y byddai ganddi ormod o ofn i ddod yn ôl.

Roedd y tri ohonon ni'n iawn gyda'n gilydd, a chyda help Nain, fe lwyddon ni i greu bywyd braf i'n teulu bach. Ond ro'n i'n anhapus, yn teimlo'n euog, gan feddwl i mi fod yn ffôl yn symud Eiry o'i chartref yng Nghrug. Ro'n i'n amau i mi wneud tro gwael â chi, fy mhlant, gan eich bod chi bellach mor bell oddi wrth eich mam.'

'Ond rydan ni wedi bod yn berffaith hapus!' mynnodd Siân. 'Gyda dim ond Nain a Cled a finnau, roedd gynnon ni fywyd braf!'

Ni ddywedodd Cledwyn 'run gair. Oedd, roedd yntau wedi bod yn hapus, er teimlai ers talwm bod 'na wacter mawr yn ei fywyd heb ei rieni, a bu peidio â gwybod be oedd wedi digwydd iddyn nhw'n anodd.

'Rydw i'n falch o glywed hynny, Siân,' atebodd Meilyr. 'Ond y gwir ydi, ro'n i'n hiraethu am Eiry. Er iddi hi adael Aberdyfi, ac er na chlywais i 'run gair ganddi wedyn, roeddwn i'n ei charu hi. Ac roedd meddwl amdani, ar ei phen ei hun yn y palas, yn torri 'nghalon i.

Wn i ddim a wnaeth hyn i gyd wahaniaeth i'r hyn a ddigwyddodd yn Abergynolwyn. Efallai ddim. Ond y cyfan rydw i'n gwybod ydi i mi fod yn drist am amser hir, a'r prynhawn hwnnw gwelais lygedyn o obaith. Roedden ni'n taflu cerrig i'r afon, ac mi sylweddolais i mor lwcus oeddwn i, gyda dau o blant bach mor annwyl. Penderfynais, o'r diwrnod hwnnw, y byddwn i'n trio anghofio am Eiry, a chanolbwyntio ar fagu'r ddau ohonoch chi. Mi dynnais fy modrwy briodas, a'i thaflu i'r afon.

Y noson honno, rai oriau ar ôl i ni fynd i gysgu yn ein pabell, mi wnes i ddeffro, gan glywed sŵn sibrwd cyfagos. Roedd hi'n dywyll fel y fagddu, a ninnau yng nghanol y cae, heb unrhyw bebyll eraill yn agos aton ni. Roeddwn i methu deall pwy oedd yno. Felly mi es i allan i drio cael cip ar pwy bynnag oedd yn sibrwd. Roedd hi'n ddu fel bol buwch, felly mi symudais yn ofalus i gyfeiriad y sŵn, ond bob tro roeddwn i'n agosáu, roedd y lleisiau yn ymbellhau a minnau'n eu dilyn.' Sychodd Meilyr ddeigryn o'i lygaid. 'Ddyliwn i ddim fod wedi'ch gadael chi! Dau blentyn bach, ar eu pennau eu hunain mewn pabell!'

'Doeddech chi ddim i wybod beth oedd i ddigwydd,' atebodd Siân yn fwyn, a gwenodd Meilyr yn werthfawrogol arni.

'Mi ddilynais i'r lleisiau am ryw ddeng munud. Roedd o'n fy ngwylltio nad oedden nhw'n ateb pan fyddwn i'n galw arnynt. Ac yna, yn sydyn, fe beidiodd y sibrwd. Ro'n i'n gallu teimlo coed o 'nghwmpas, ac ro'n i'n gweiddi'n wyllt ar y lleisiau, 'Pwy sy 'na? Pwy sy 'na?' Roedd ambell eiliad o dawelwch llethol – dim sisial yr awel hyd yn oed, cyn i mi glywed llais dwfn anghyfarwydd y tu ôl i mi, yn agos iawn. Dim ond un gair a ddywedodd y llais, un gair i ateb fy nghwestiwn. 'Fi'.'

Aeth ias i lawr asgwrn cefn Cledwyn. Roedd profiad ei dad yn swnio fel ffilm arswyd hunllefus.

'Mi ddechreuais redeg i ffwrdd, wedi cael ofn, ond do'n i ddim yn gwybod i ble ro'n i'n rhedeg. Heb yn wybod i mi, ro'n i ar glogwyn, ac mi syrthiais i drwy'r coed, dros y creigiau, tan i mi gyrraedd yr afon ar y gwaelod. Ro'n i wedi brifo 'nghoes, ac mi drawais fy mhen ar garreg. Rydw i'n cofio teimlo gwlybaniaeth yr afon yn treiddio trwy 'nillad cyn i mi lewygu. Ac yn cofio sylweddoli, mewn panig, bod fy nau blentyn bach mewn pabell yng nghanol cae ar eu pennau eu hunain.'

'Pwy oedd bia'f llais?' gofynnodd Gili Dŵ, ei lygaid yn llydan gydag ofn.

'Dim syniad,' atebodd Meilyr gan ysgwyd ei ben. 'Ond rydw i'n eithaf siŵr, erbyn hyn, mai rhywun, neu rywbeth, o Grug oedd yn gyfrifol.

Pan ddeffrais i, ro'n i ar yr ynys yma, wedi fy ngolchi ar y tywod heb syniad sut y dois i o Abergynolwyn i'r fan hyn, nac am ba mor hir y bûm i'n anymwybodol. Pan ddois i mewn i'r goleudy, roedd y gadair, a'r drych, a'r silff, yma'n barod, ac un peth arall. Rhywbeth aur, yn sgleinio ar y silff. Fy modrwy briodas.' Daliodd Meilyr ei law i fyny a dangos y fodrwy aur a oedd bellach yn ôl ar ei fys, yn sgleinio'n euraid yn yr haul.

'Y fodrwy roeddech chi wedi ei thaflu i'r afon yn Abergynolwyn?' holodd Siân mewn penbleth. 'Ond sut...?'

'Rydw i wedi siarad ag ambell greadur y môr am y peth. Roedd 'na forfil doeth iawn a arferai ymweld â mi, ac roedd o'n siŵr ei fod o'n gwybod yr ateb,' ebe Meilyr. 'Mae o'n credu bod yr holl beth wedi digwydd achos yr hud cryf sy'n cael ei ffurfio pan fo rhywun o Grug yn priodi. Pan deflais i'r fodrwy i'r afon, ro'n i'n amharchu fy mhriodas i a'ch mam, ac felly dyma fy nghosb.' Ysgydwodd Meilyr ei ben. 'Er mai Eiry wnaeth fy ngadael i, fi sy'n derbyn y gosb. Tydi'r peth ddim yn deg.' Ochneidiodd yn ddwfn. 'Tydw i ddim yn gwybod mai dyna'r rheswm pam y digwyddodd hyn i gyd, wrth gwrs. Dyfalu ydi'r cyfan.'

Crychodd Gili Dŵ ei dalcen mewn penbleth. 'Ond, Meilyf, pam na fyddech chi wedi gadael yf ynys af ôl gwisgo eich modfwy 'nôl am eich bys? Siawns na fyddech chi'n saff i adael yma fŵan, gyda help ffai o'f môf-fofynion?'

'Yn ôl y morfil a esboniodd y gosb i mi, dim ond yng nghwmni'r teulu y medra i adael yr ynys, a gadael Crug. Mae ambell un o'r môr-forynion wedi cynnig mynd â fi, ond mi fyddwn i wedi rhoi eu bywydau nhw mewn perygl enbyd. Ond, gan fod Cled a Siân yma efo fi rŵan, rydw i'n eitha siŵr 'mod i'n saff i adael. O'r diwedd!'

'Felly mi ddowch chi 'nôl efo ni?' gofynnodd Cledwyn yn obeithiol. 'Yn ôl ar yr *Una*, ac yna 'nôl i Aberdyfi? Am byth?'

'Am byth,' gwenodd Meilyr. 'Peidiwch chi â phoeni rŵan. Tydw i ddim yn mynd i unman hebddoch chi.'

Gorweddodd Cledwyn yn ei wely ar yr *Una*, yn gwrando ar sŵn y tonnau'n sisial tu allan. Roedd o wedi blino'n lân, ac o glywed chwyrnu ei dad o'r ystafell nesaf, roedd hwnnw'n gwerthfawrogi cael matres yn lle twmpath o flancedi budron ar lawr.

Am ddiwrnod! Cyfarfod â'i dad, a hwnnw'n fwyn a charedig ac yn llawn hwyl, ac yna sgwrsio am oriau wrth ddechrau ar eu mordaith i fynd â'r *Una* yn ôl i Mina. Cofiodd Cledwyn yr olwg yn llygaid ei dad wrth iddo wylio'r ynys, a fu'n gartref iddo am amser hir, yn diflannu i'r gorwel. 'Gobeithio na wna i byth weld y lle eto,' dywedodd Meilyr yn dawel.

Y bore canlynol, mi fyddai'r llong yn cael ei rhoi yn ôl i Mina, ac mi fyddai Cledwyn â'i olygon am ddychwelyd i Aberdyfi gyda'i dad. Ochneidiodd yn foddhaus wrth feddwl mor debyg oedd o i Meilyr – yr un edrychiad, yr un chwerthiniad, a hyd yn oed yn siarad yn debyg.

Gwenodd Cledwyn gan deimlo, am y tro cyntaf, ei fod o'n perthyn.

PENNOD 11

'Tybed be fydd gan Nain i'w ddweud am hyn i gyd?' gofynnodd Siân, gan sipian ei the.

Roedd Siân, Cledwyn, Gili Dŵ a Meilyr yn eistedd ar fwrdd yr *Una*, yn mwynhau paned yn yr haul wrth iddynt aros i'r tir ymddangos. Roedd Sandra a Beti wedi gweiddi i fyny o'r dŵr y bore hwnnw eu bod nhw wedi derbyn neges gan forlo, cyfaill i Mina yn ôl pob tebyg. Roedd Mina yn aros amdanynt ar y tir mawr, nid yn ei thŷ bach pren yng nghanol y môr. Doedd y tir ddim ymhell, yn ôl y môr-forynion, ac roedd pawb ar fwrdd yr *Una*'n ysu am gael cyrraedd pen y daith. Gwyliai Cledwyn a Siân wrth i Meilyr a Gili Dŵ eistedd ar ochr arall y llong, y ddau'n sgwrsio'n ddiddig.

'Mi fydd Nain wrth ei bodd, wrth gwrs,' synfyfyriodd Cledwyn. 'Mae hi wedi aros mor hir i weld ei mab.'

'Tybed be fydd pawb yn 'i ddweud?' holodd Siân yn feddylgar. 'Mae pobol Aberdyfi yn meddwl bod Meilyr ac Eiry wedi hen fynd.'

'Peth rhyfedd, hefyd,' sylwodd Cledwyn. 'Does neb erioed wedi sôn am ddiflaniad Dad yn Abergynolwyn. Mae hi'n stori mor ddychrynllyd, mae'n beth od nad ydi'r peth wedi cael ei grybwyll.'

'Does neb yn gwybod,' meddai Siân. 'Ar ôl i Eiry adael i ddychwelyd i Grug, roedd pawb yn y pentre'n cymryd yn ganiataol ei bod hi wedi gadael Dad. Ac yna, pan ddiflannodd Dad, mi ddywedodd Nain ei fod o wedi mynd i ffwrdd i weithio.'

'Roedd Nain yn siŵr fod ei ddiflaniad yn rhywbeth i'w wneud efo Crug, ac roedd hi'n gwybod mor beryg oedd sôn am y fan honno wrth unrhyw un arall. Yn wir mi fyddai pobl yn meddwl ei bod hi'n dw-lal! A fyddai'r awdurdodau byth wedi rhoi dau o blant bach yng ngofal rhywun hanner call.'

Aeth ias i lawr asgwrn cefn Cledwyn wrth feddwl beth fyddai wedi digwydd pe byddai Nain wedi dweud wrth yr awdurdodau am Grug.

Safodd Meilyr ar ei draed a syllu tua'r gorwel. 'Wyddoch chi'r Mina 'ma sy'n aros amdanon ni? Oes ganddi hi wallt coch? Dwi'n gweld rhywun cochlyd ar y lan.'

Llamodd Siân, Cledwyn a Gili Dŵ ar eu traed a brysio at ochr y llong. Roedd y tir bryniog ar y gorwel yn brysur agosáu, ac roedd degau o bobol yn sefyll ar graig ar lan y dŵr. Yn eu plith, roedd un pen yn goch fel rhuddem yn codi uwchben y lleill, a gwridodd Cledwyn wrth feddwl be fyddai o'n ei ddweud wrth Mina.

'Pwy yn y byd ydi'f holl bobol 'na sy'n sefyll efo Mina?' holodd Gili Dŵ yn amheus. 'Ydyn nhw'n befyglus, dach chi'n meddwl?'

'Go brin,' atebodd Siân gan godi ei llaw. 'Fyddai Mina ddim yn sefyll yn eu canol nhw petaen nhw'n elynion.'

Roedd Siân yn iawn. Wrth i'r *Una* arafu, gwaeddodd Mina ei hesboniad iddynt.

'Peidiwch â bod yn ofnus! Cyn-aelodau YCH

ydi'r rhain. Maen nhw wedi clywed am bopeth a ddigwyddodd yn Abermorddu, ac maen nhw'n teimlo'n euog.' Gwenodd ambell un yn wantan wrth i'r ffrindiau ddringo i lawr o fwrdd yr *Una*. 'Rydw i wedi addo y cân nhw deithio 'nôl i Abermorddu ar y llong.'

'W! Chi oedd ym Mhendfamwnagl?' holodd Gili Dŵ y criw. Nodiodd ambell un ohonynt. 'Plîs dywedwch fod 'na ddim gofmod o olwg af y lle! A minna wedi gweithio mof galed i gadw'f lle'n smaft ac yn ffasiynol!'

'Ym... Nag oes,' gwridodd dyn bochgoch anferthol, â dwylo fel rhawiau. 'Wedi i ni glywed mai camgymeriad gwirion oedd Ymgyrch Cadw'r Heddwch, roedden ni'n teimlo'n euog am ddwyn eich cartref chi. Felly rydan ni wedi llnau a thwtio.'

'Mi drwsiais i'r twll yn y to,' ychwanegodd dynes ganol oed.

'Mi wnes innau blannu llysiau,' ebe hen ddyn musgrell. 'Tatws, moron, rwdan, tomatos, pannas... Rydan ni'n gwybod nad ydi'r pethau yma'n gwneud iawn am y pethau twp rydan ni wedi'u gwneud, ond dyma'n ffordd fach ni o ddweud ei bod hi'n ddrwg iawn gynnon ni.'

Edrychodd pawb ar Gili Dŵ. Roedd yr hen ŵr yn dweud y gwir. Doedd dim a allai newid y ffaith bod Gili Dŵ wedi gorfod ildio ei gartref. Ond, ar y llaw arall, roedd pob un o gyn-aelodau YCH yn edrych fel petai'n ddrwg iawn ganddyn nhw.

'Fwdan, ddeudoch chi?' holodd Gili Dŵ. 'Pannas?'

Nodiodd yr hen ŵr yn ansicr.

Neidiodd Gili Dŵ i'r awyr mewn llawenydd. 'Fwdan! Fwdan! Hwfeeeeee! Fy hoff lysieuyn i! A diolch am llnau'f tŷ, fydw i'n un feit lân a thaclus fel dach chi wedi sylweddoli, mae'n siŵf. Ac am dfwsio'f twll yn y to. Foedd o 'di mynd yn ddigon mawf i mi allu tofheulo oddi tano fo!'

Chwarddodd pawb, ac edrychai cyn-aelodau YCH yn falch iawn nad oedd unrhyw un yn dal dig. Daeth Mina draw at y pedwar a deithiodd ar yr *Una*, â gwên lydan ar ei hwyneb. Rhoddodd gusan yr un i Cledwyn, Siân a Gili Dŵ, a throdd at Meilyr, gan ymestyn ei llaw iddo. 'Mina ydw i. Mae hi'n hyfryd cael eich cyfarfod chi.'

Ysgydwodd Meilyr ei llaw gan wenu. 'A chithau! Mae'r plant wedi sôn gymaint amdanoch chi. Diolch o waelod calon am gael benthyg yr *Una*. Fyddai hyn ddim wedi digwydd heb eich help chi.'

'Twt lol,' wfftiodd Mina. 'I Siân a Cled a Gili Dŵ mae'r clod i gyd. Welais i rioed dri mor ddewr yn fy mywyd. Mae gennych chi le i fod yn falch iawn ohonyn nhw.'

'Mi rydw i, wrth gwrs,' gwenodd Meilyr ar ei blant. 'Ac mae gen i le mawr i ddiolch i fy mam. Hi sydd wedi eu magu nhw, wedi'r cyfan.'

'Mina, a ydi Eiry'n gwybod bod yr holl broblemau yn ymwneud ag YCH wedi eu datrys?' holodd Siân yn daer. 'Tydw i ddim yn hoffi meddwl amdani'n dal yn y palas, yn gwybod dim.'

Gwenodd Mina, ond gwelodd Cledwyn fod ei gwên yn ansicr braidd. 'Mae hi'n gwybod. Mi wnes i gynnig iddi ddod yma i'ch cyfarch chi oddi ar yr *Una*, ond...' Tawelodd Mina.

'Ond be? holodd Meilyr mewn braw. 'Ydi Eiry'n iawn?'

'Ydi,' nodiodd Mina. 'Ond mae'r holl brofiad o fod dan warchae wedi cael effaith wael arni, mae arna i ofn. Er ei bod hi'n deall bod YCH am adael llonydd iddi hi ac i chithau, mae ei hofn hi o'r byd y tu allan i'w phalas wedi ailymddangos.'

Ochneidiodd Gili Dŵ. 'O diaf annwyl. A ninnau wedi gweithio mof galed i'w chael hi i allu mynd am dfo!'

'Mae hi'n cynnig, fodd bynnag, lle i chi yn ei phalas am ychydig, i chi gael dod atoch eich hun cyn y siwrnai yn ôl i Aberdyfi.'

'Hy!' Trodd Cledwyn i weld wyneb ei chwaer yn galed, a'i llygaid yn dyfrio. 'Mae'n rhaid ei bod hi wedi deall y byddai'n rhaid i ni fynd yn syth yn ôl at Nain.' Sylweddolodd Cledwyn bod ei chwaer wedi brifo i'r byw gan ddiffyg ymddangosiad Eiry. Llyncodd ei boer. Ac yntau wedi bod yn llawn cyffro yn mwynhau cael cwmni ei dad. Doedd o heb rhoi fawr o feddwl i Eiry, ond gwyddai bod Siân yn meddwl y byd o'i mam.

'Siân,' meddai Meilyr yn dawel. 'Mi wyddost ti mor gryf ydi ofn Eiry o'r byd mawr y tu allan i giatiau ei phalas. Mae o wedi difetha'i bywyd.'

'Ydi,' cytunodd Siân yn chwerw. 'Ac mae o'n llawer cryfach na'i chariad hi tuag at ei phlant, mae'n amlwg.'

Gosododd Meilyr fraich warchodol o amgylch

ysgwyddau ei ferch. 'Wn i nad ydi hyn fawr o help i ti, ond mi fedra i addo i ti rŵan bod Eiry'n teimlo ganwaith gwaeth na ti ar hyn o bryd.'

Cliriodd Mina'i llwnc yn dawel. 'Mae hi wedi anfon Blodug, y ceffyl, i'ch hebrwng chi 'nôl i Aberdyfi os nad oeddech chi am fynd i'r palas.' Pwyntiodd Mina at geffyl cyfarwydd yn pori gerllaw.

'Blodug!' bloeddiodd Meilyr, a brysiodd y ceffyl gwyn ato. Anwesodd Meilyr drwyn y ceffyl yn fwyn. Roedd Blodug yn gadael llwybr del o borfa a byddai blodau'n tyfu ble bynnag roedd o'n cerdded – disgleiriai petalau llygad y dydd a'r pabi cochion y tu ôl iddo. 'Tydw i heb weld Blodug ers talwm! Sut wyt ti, 'ngwas i?' Rhwbiodd Blodug ei drwyn ym moch Meilyr, fel pe bai'n ceisio ei ateb. Gwelodd Cledwyn gerbyd cyfarwydd heb fod ymhell, fel pêl arian â chlymau Celtaidd yn ei orchuddio. Dyma'r union gerbyd a aeth â Siân a Cledwyn adre i Aberdyfi y llynedd.

'Fydd o'n gallu mynd â Gili Dŵ adre'n gyntaf?' holodd Cledwyn wrth i'w dad roi mwythau i'r ceffyl.

'Os ydi'n iawn gan Gili Dŵ, mi hoffwn i ei hebrwng o'n ôl i'w gartref,' cynigiodd Mina'n obeithiol. 'Ac efallai ymlaen wedyn i'r palas, i weld Eiry? Rydw i wedi penderfynu treulio mwy o amser ymysg pobol, a llai o amser ar fy mhen fy hun yng nghanol y môr. Tydi byw fel meudwy'n gwneud fawr o les i neb!'

'Gfêt!' ebychodd Gili Dŵ gan wenu. 'O, mi fyddi di wfth dy fodd efo Pendfamwnagl, Mina, a'f palas hefyd... Ac mi fyddi di'n siŵf o fod yn help mawf i dfio cael Eify allan o'f palas eto.'

Trodd Mina at gyn-aelodau YCH a'u gwahodd nhw i ddringo'r ysgol i fwrdd yr *Una*, cyn troi 'nôl at Cledwyn a'i ffrindiau. 'Diolch i chi.'

'Does dim eisiau i chi ddiolch i ni, siŵr!' mynnodd Siân. 'Chi sydd wedi'n helpu ni!'

'Ond rydych chi wedi dysgu gymaint i mi,' meddai Mina'n daer. 'Rydw i methu coelio'ch dewrder chi, yn hwylio dros fôr peryglus i ganol pobol oedd yn eich casáu chi.'

'Mae o'n swnio bfaidd yn dw-lal, pan dach chi'n ei ddweud o fel 'na,' chwarddodd Gili Dŵ, cyn troi at ei ffrindiau a diflannodd ei wên. 'Dwi'n casáu ffafwelio â phobol. Pan aethoch chi adfe llynedd, foedd fy nhfwyn i'n ffedeg am bythefnos gyfa efo'f holl gfio.'

Wedi i Gili Dŵ a Meilyr ddweud hwyl fawr wrth ei gilydd, cafodd Cledwyn a Siân goflaid dynn yr un gan Mina. Teimlodd Cledwyn ei fochau'n llosgi'n goch, a gobeithiai â'i holl enaid nad oedd Mina wedi sylwi.

Lapiodd Gili Dŵ ei freichiau o amgylch Siân. 'Hwyl i ti, Siân. A diolch. Fyddai'f antuf yma heb ddigwydd heblaw am dy ddewfdef di.'

Erbyn i Gili Dŵ gyrraedd Cledwyn, roedd hwnnw'n crio hefyd, gan wybod y byddai o'n hiraethu am ei ffrind bach annwyl. 'Cled, mi wna i dy fethu di'n fwy na neb. Fy ff-find gofau i!'

Nid atebodd Cledwyn. Doedd dim angen dweud dim.

Sgleiniai cerbyd arian Blodug o dan yr heulwen. Trodd Cledwyn yn ôl i gael un golwg arall ar Mina a Gili Dŵ, a theimlai ei galon yn gwasgu.

Dringodd Cledwyn, Siân a Meilyr i'r cerbyd,

gan ffarwelio am y tro olaf â Mina a Gili Dŵ, oedd ym mreichiau ei gilydd. Wrth i'r drws mawr gau ac i Blodug ddechrau symud, eisteddodd y tri mewn tawelwch. Roedd ffarwelio â'i ffrindiau wedi digwydd mor sydyn, a hoffai Cledwyn fod wedi cael mwy o amser i gnoi cil dros ddigwyddiadau'r dyddiau diwethaf gyda'r ddau. Ond roedd Nain yn aros amdanynt: Fyddai o ddim yn deg achosi eiliad yn fwy o boendod meddwl iddi nag oedd angen.

'Wyt ti'n sâl, Cled bach?' gofynnodd Meilyr wrth i'r drol ddechrau symud. 'Mae dy fochau di'n goch ofnadwy.'

Trodd Siân ei chefn ar y môr, a gwenodd yn ddireidus. 'Gwrido mae o, Dad! Welsoch chi mo'r sws fawr wlyb a gafodd o gan Mina?'

'A!' Rhoddodd Meilyr wên fach i'w fab. 'Wel, tydw i ddim yn synnu. Mae hi'n smart iawn, wedi'r cyfan.'

Dechreuodd Cledwyn wgu, ond methodd guddio'r wên a chwaraeai ar ei wefusau. Er bod Siân wedi torri ei chalon wrth i Eiry fethu dod i'w gweld, o leia gallai hi chwerthin a thynnu coes. Roedd Siân yn ferch wydn, sylweddolodd Cledwyn: Byddai'n cymryd holl bŵer y byd i'w threchu hi.

'Ydach chi'n meddwl y daw Eiry i'n gweld ni?' gofynnodd Siân yn sydyn, wrth hoelio ei llygaid ar rai Meilyr. 'Ydach chi'n meddwl y cawn ni fynd yn ôl ryw dro, efallai i ymweld ag Abermorddu?' Er nad oedd ei llais yn drist, sylweddolodd Cledwyn mor anodd oedd hi i Siân fynd adref y tro hwn: Nid yn unig roedd hi'n gadael Eiry, ond gwyddai hefyd bod Mael ymhell i ffwrdd yn Abermorddu, yn meddwl amdani hithau.

'Rydw i'n sicr,' atebodd Meilyr yn bendant, a nodiodd Siân, cyn rhoi gwên fach werthfawrogol i'w thad.

Er ei bod hi'n ganol bore, a bod Cledwyn wedi cysgu'n sownd y noson gynt, dechreuodd Cledwyn deimlo'n gysglyd bron yn syth wrth i siglo ysgafn y cerbyd ei swyno. Syrthiodd i gysgu yn y diwedd, a'r peth olaf a aeth drwy ei feddwl oedd yr olwg fyddai ar wyneb ei nain pan welai Meilyr yn Aberdyfi.

Roedd gwên fawr ar wyneb Cledwyn wrth iddo gysgu ar gadeiriau esmwyth y cerbyd arian y bore hwnnw.

PENNOD 12

Sgrech gwylan. Siffrwd tonnau, ac awel fwyn yn chwythu'r cerbyd arian.

Agorodd Cledwyn ei lygaid yn araf. Roedd y cerbyd wedi stopio symud, a dychmygodd Cledwyn, am eiliad, bod rhywbeth yn bod, bod rhywbeth wedi digwydd i Blodug. Ond yna, wrth glustfeinio, sylweddolodd pam bod y ceffyl wedi dod i stop. Roedd y synau a glywai Cledwyn mor gyfarwydd iddo â chledr ei law.

Roedd o adre.

Edrychodd draw at Meilyr a Siân, a gweld bod y ddau'n cysgu'n drwm, eu pennau'n pwyso am i lawr a'u hanadl yn ddofn.

'Dad!' meddai Cledwyn yn gryg. 'Siân! Dwi'n meddwl ein bod ni wedi cyrraedd Aberdyfi!'

Agorodd llygaid Meilyr, a thynnodd ei fysedd drwy ei wallt blêr. Gwenodd ar ei fab. 'Grêt! Adre o'r diwedd!'

Agorodd Siân ei llygaid yn araf, cyn ymestyn ei breichiau fel cath yn deffro. 'Faint o'r gloch ydi hi?'

'Amser mynd adre,' meddai Meilyr, gan droi'r bwlyn bach yn y drws. 'Fedra i ddim aros i weld Mam eto!'

Roedd yr awel yn fain, a'r haul yn codi dros y mynyddoedd wrth i Cledwyn gamu allan o'r cerbyd arian i'r tywod. Meddyliodd tybed oedd amser yn wahanol yng Nghrug, neu a oedd y tri wedi cysgu drwy'r dydd a thrwy'r nos. Edrychodd o'i gwmpas a gweld y bonion tywyll ar y traeth. Roedd Blodug wedi dod â nhw i'r union fan lle y cerddon nhw drwy'r coed i Grug ar ddechrau'r gwyliau.

'Y bonion!' ebychodd Meilyr, â deigryn yn ei lygaid. 'Ro'n i'n siŵr na welen ni fyth mo'r rhain eto!'

'Sbiwch,' pwyntiodd Siân at y tŷ bach gwyn yng nghanol y mynyddoedd. 'Tyddyn Llus.'

Craffodd Meilyr i'r pellter. 'Rwyt ti'n. iawn, Siân. Yn fan'no roeddan ni'n byw.' Syllodd y tri am ychydig eiliadau, eu meddyliau ymhell. Ochneidiodd Meilyr. 'Ro'n i'n siŵr y byddai eich mam wedi dod yn ôl efo ni.'

Gweryrodd Blodug i dorri ar eu myfyrdodau. Gwenodd Meilyr a cherdded draw at y ceffyl, cyn cosi trwyn Blodug â blaenau ei fysedd. 'Wyt ti am fynd 'nôl, 'ngwas i? Wel, diolch i ti am ddod â ni adre'n saff.'

Trodd Blodug i wynebu'r môr, cyn codi ar ei goesau ôl gan weryru'n uchel. Brysiodd at y dŵr, y cerbyd arian yn sgleinio y tu ôl iddo, a chyn i unrhyw un allu dweud gair, diflannodd Blodug a'r cerbyd i ganol y môr, gan adael dim byd ond llwybr o borfa yn y tywod lle camodd y ceffyl.

'Wneith o ddim boddi, Dad?' gofynnodd Cledwyn yn betrus. Ond ysgwyd ei ben wnaeth Meilyr.

'Mi fydd o'n iawn, Cled. Mae'n siŵr na theimlodd o'r dŵr o gwbl, a'i fod o'n carlamu trwy ryw gae yng Nghrug erbyn hyn.'

'Dewch wir,' crynodd Siân. 'Mae hi'n dipyn o ffordd i Aberdyfi o'r fan hyn, ac mae'n siŵr bod Nain yn poeni'n ofnadwy amdanon ni.'

Cerddodd y tri drwy'r tywod i gyfeiriad eu cartref, gan symud yn gyflym wrth feddwl am gael brecwast mawr yn y tŷ tal yn Aberdyfi. Wrth nesáu at y pentref, synnodd Meilyr wrth weld cymaint roedd y lle wedi newid.

'Mae'r maes parcio yna'n newydd!' ebychodd gan bwyntio. 'Ac mae'r clwb golff wedi cael côt o baent.'

Ymhen hir a hwyr, trodd y tri heibio i un o'r twyni tywod mawr, a gwelsant Stryd Fawr Aberdyfi yn ymestyn o'u blaenau, y tai amryliw o binc a glas a gwyrdd yn sefyll yn dal yn yr haul cynnar. Stopiodd Meilyr yn stond.

'Ydach chi'n iawn, Dad?' gofynnodd Cledwyn.

'Do'n i byth yn meddwl y cawn i ddod yn ôl yma byth eto,' atebodd Meilyr. 'Ac, er bod ambell beth wedi newid, mae'r hen le'n edrych yr un fath. Diolch byth, mi ga i gyfle arall i dreulio amser gyda 'mhlant yn y pentre bach hyfryd hwn.'

Wrth basio heibio'r cae chwarae ('Maen nhw wedi cael siglenni newydd ers pan oeddach chi'n fach!') a thrwy'r maes parcio, syllai Meilyr yn gegrwth ar bopeth. Craffodd drwy ffenestri siop ddodrefn, gan ddychryn wrth weld y prisiau, a synnu wrth weld yr holl geir wedi eu parcio ar ochr y stryd.

Ac yna, wrth iddynt gerdded ar y palmant gwag tuag adref, daeth ffigwr cyfarwydd i'r golwg ym mhen draw'r stryd.

Nain.

Stopiodd Meilyr yn stond wrth weld ei fam, wedi ei lapio mewn siôl goch, a'i gwallt gwyn yn chwyrlïo tu ôl iddi yn yr awel. Doedd hi ddim yn edrych i'w cyfeiriad nhw, ond yn archwilio'r gorwel â'i llygaid. Sylwodd Cledwyn ei bod hi'n edrych yn hen, ei chefn wedi crymu a'i llygaid yn flinedig, a theimlodd yn euog am ei gadael ar ei phen ei hun cyhyd.

Trodd Nain ei llygaid yn araf tuag atynt, a stopiodd yn sydyn. Syllodd ar Meilyr, gan ysgwyd ei phen yn araf.

Dechreuodd Meilyr gerdded tuag ati, yn araf i ddechrau, ac yna dechreuodd redeg, ei goesau hirion yn rasio dros y palmant llwyd. Wedi iddo gyrraedd ei fam, lapiodd ei freichiau o'i chwmpas yn dynn, a gwelodd Cledwyn lygaid Nain fel soseri wrth iddi weld ei mab am y tro cyntaf ers deng mlynedd. Brysiodd Siân a Cledwyn at eu tad a'u nain, a gwelsant fod llygaid y ddau'n wlyb, a Nain yn edrych fel petai'n gweld ysbryd.

'Ro'n i'n meddwl dy fod ti wedi marw,' sibrydodd Nain yn wan.

'Mae'n ddrwg gen i,' atebodd Meilyr yn gryg. 'Ond dwi adre rŵan, Mam, a wna i ddim gadael eto, dwi'n addo.'

'Ydach chi'n iawn?' Cofleidiodd Nain Cledwyn a Siân, a sylwodd Cledwyn mor esgyrnog oedd ei chorff. Mae'n rhaid nad oedd wedi bwyta'n iawn ers iddyn nhw ddiflannu i Grug.

Nodiodd Siân. 'Ydan siŵr. Peidiwch â phoeni, Nain, 'dan ni i gyd yn saff adra rŵan. Ac mae Dad yn ôl i aros!'

Trodd Gwyddfid i wynebu ei mab, a syllodd yn hir ar ei wyneb. 'Ydw i'n breuddwydio?' gofynnodd yn dawel. 'Wyt ti yma, go iawn?'

'Nid breuddwyd ydi o, Mam. Dwi 'nôl, ac am fyw efo chi a'r plant unwaith eto, os ydi hynny'n iawn.'

Ochneidiodd Nain, a lledaenodd gwên fawr ar ei hwyneb. 'Yn *iawn?* Meilyr bach, 'dan ni wedi bod yn aros amdanat ti ers deng mlynedd!' Ymestynnodd ei breichiau i gofleidio ei mab, gan goelio ei llygaid o'r diwedd bod Meilyr yn ôl, er iddi feddwl na fyddai'n ei weld byth eto.

'Be ddigwyddodd i chi?' gofynnodd Nain, gan edrych ar ei hŵyr a'i hwyres mewn difri. 'Dwi am gael yr hanes i gyd!'

Gwenodd Cledwyn. 'Stori hir, Nain, fel y gallwch chi ddychmygu. Gawn ni siarad am y peth dros frecwast?'

Chwarddodd Nain, a thynnu Cledwyn i'w breichiau. 'Wrth gwrs. Brecwast amdani. O'r diwedd... Mi rydach chi i gyd adre.'

PENNOD 13

'Caleb?'

'Yma, Miss!'

'Owain?'

'Yma.'

'Efan?'

'Yma.'

'Cledwyn?'

'Yma, Mrs Evans.'

Caeodd Mrs Evans y gofrestr a rhoi ei beiro naill ochr. Gwenodd ar ei dosbarth, pob un mewn siwmperi ysgol newydd, a'r rhan fwyaf yn frown ar ôl treulio'r haf yn yr haul. Roedd hi'n od cymaint roedd y disgyblion yn newid dros wyliau'r haf. Roedd pob un yn dalach nag roedden nhw ym mis Gorffennaf, ac roedden nhw'n edrych gymaint yn hŷn rŵan a hwythau ym Mlwyddyn Wyth.

'Ga'th bawb wyliau go lew?' holodd Mrs Evans, gan ddosbarthu llyfrau ysgrifennu glân newydd i bawb. Cytunodd y disgyblion. 'Sut roedd Sir Aberteifi, Owain?'

'Grêt!' gwenodd Owain. 'Mi ges i fynd i'r traeth efo 'nghyfnither.'

'Braf iawn, wir!' gwenodd Mrs Evans. 'A gest ti ganŵio yn Ne Ffrainc, Caleb?'

Nodiodd Caleb. 'Ro'n i'n socian, ond ew, mi gawson ni hwyl!'

'A beth amdanat ti, Cledwyn?'

Edrychodd Cledwyn i fyny ar ei athrawes. Fo oedd wedi newid fwyaf, meddyliodd Mrs Evans, ond doedd hi ddim yn siŵr sut. Roedd rhywbeth yn wahanol yn ei lygaid, fel petai o'n fwy bodlon ei fyd nag roedd o cynt.

'Mi ddaeth Dad adre.'

Roedd Mrs Evans yn gwybod mai efo'i nain roedd Siân a Cledwyn yn byw, a chafodd syndod wrth glywed hyn. 'Oedd o wedi bod i ffwrdd yn hir?'

'Oedd,' atebodd Cledwyn. 'I ffwrdd yn gweithio. Ond mae o 'nôl rŵan.' Gwenodd Cledwyn yn fwyn, a meddyliodd Mrs Evans na welsai erioed ddisgybl yn edrych mor hapus ar ddiwrnod cynta'r tymor.

'Ac mae Cled wedi bod draw yn ein tŷ ni, 'yn do Cled?' ychwanegodd Moi. 'Yn sgota yn yr afon, ac yn helpu efo'r cŵn bach newydd.'

'Wel wir,' meddai Mrs Evans. 'Mae'n swnio'n debyg i ti gael haf prysur, Cled bach.'

'Do,' gwenodd Cledwyn. 'A fedra i ddim aros tan yr ha' nesa!'